RHWNG NOSON WEN A PHLYGAIN

RHWNG NOSON WEN A PHLYGAIN

SONIA EDWARDS

Argraffiad Cyntaf — Awst 1999

ISBN 0 86074 159 1

Diolchir i A. P. Watt Ltd, ar ran Michael B. Yeats, am ganiatâd i gynnwys llinellau o'r gerdd 'He Wishes for the Cloths of Heaven' o'r gyfrol *The Wind among the Reeds* gan W. B. Yeats.

Cyhoeddwyd ac argraffwyd ar ran Llys Eisteddfod Genedlaethol Cymru gan Wasg Gwynedd, Caernarfon

ER COF
AM MAIR

Cynnwys

'But I, being poor, have only my dreams;
I have spread my dreams under your feet;
Tread softly because you tread on my dreams.'

W. B. Yeats

Yfory'n Gwisgo Gwyn

Dwylo gwyn. Bychain gwynion. Lilis a meillion a gwenau lleianod. A Gwyneth ei hun. Gwyneth fach wen yn ei haeddfedrwydd a'i gwallt yn ddeunaw oed o hyd.

Ac mi edrychodd Gwyneth ar ei dwylo gwyn fel pe bai hi'n chwilio am smotyn neu staen. Unrhyw beth na ddylai fod yno. Roedd hi fel pe na bai hi'n gallu credu yn eu glendid.

'Ma' gin i gariad, sti,' meddai. Clywais glychau bach o ryfeddod yn crynu o dan ei llais hi.

Cododd ei llygaid, yn disgwyl i mi ymateb. Ond wyddwn i ddim sut i'w llongyfarch. Sut i syllu i'w diniweidrwydd heb wrido. Nes i mi weld y gyfrinach yn ei gwên, a honno'n bwll bach o olau fel cysgod blodyn menyn.

'Oes, 'mechan i?'

'Oes, cofia!' A'r 'cofia' bach hwnnw'n ein tynnu ni'n nes, yn ôl lle'r oedd olion ein hafau i gyd ac oglau'r ddaear yn aeddfedu.

'Paid â deud, na wnei, Deio Bach?'

Er mai fi ydi'r hynaf. Y brawd mawr. A dim ond y hi gafodd fy ngalw i'n 'Deio Bach' erioed.

'Be', wrth Dad?'

'Wrth neb!'

Daeth mwg rhyw hen hydref i gyrlio'n wyn ar draws fy llygaid i . . .

Be' ti'n ne-eud, Deio Ba-ach? Wedi dy ddal di! Do-o! Deio Ba-ach yn swsian efo genod! Aros di nes clywith Dad . . . Bochau coch, cledrau'n chwysu — Na, Gwyneth, paid â deud; herio —` crio — dail yn crensian — Gwyneth, cym' ofal, fiw i ti ddeud . . . syrthio: gwaed-a-dagra' — cusan-bopa . . . Na, Deio Bach, neith Gwyneth ddim deud . . .

'Na, Gwyneth. Ddeuda i ddim byd os ma' dyna wyt ti isio.'

Hi oedd yn rheoli'r cyfan tra oedd fy sicrwydd i ynglŷn â phopeth yn dywod rhwng fy nwylo. Diolchodd i mi hefo'i llygaid, cyffyrddiad ei llaw ar fy mraich. Roeddwn i'n amau a wyddai hi pa mor atyniadol a chellweirus yr edrychai hi pan fyddai hi'n ymddwyn felly. Roedd ei hystumiau'n ei gwneud mor bwerus, ac eto mor frau. Teimlais danchwa o gariad brawdol tuag ati a bu bron i'r eiliadau hynny fod mor dlws.

'Pwy ydi o, ta?'

Dyna ddifethodd bopeth. Fi a'n amheuon a 'ngheg fawr, flêr. Ac mi sefais yn euog o flaen ei llawenydd hi yn chwalu pob math o hen feddyliau chwerw ynglŷn â phwy oedd y bastad diegwyddor oedd yn manteisio ar ei hanwyldeb hi.

'Sdim isio i ti boeni, sti, Deio. Mae o'n sbesial.' Darllenodd y tensiwn oedd yn tynnu ar gyhyrau fy wyneb i fel petawn i'n sownd wrth linynnau pypedwr. 'Dan ni'n ddau gariad go iawn.' A gwenodd heb ronyn o falais. ''Run fath ag oeddat ti a Cadi ers talwm.'

Wyddwn i ddim bod neb yn gwybod amdana i a Cadi. A rŵan dyma Gwyneth o bawb wedi'i gwneud ei hun yn rhan o'r gyfrinach ers yr holl flynyddoedd. Daeth yr olwg yn ei llygaid hi â phinnau mân o hiraeth yn ei sgîl. Mor hawdd oedd cofio'r noson honno. Mor hawdd ydi dal i gofio. Rhy hawdd. Efallai nad ydw i isio anghofio go iawn. Efallai mai dyna ydi esgyrn glân y gwir. Dim isio anghofio noson o daranau a Gwyneth yn ei dagrau. Noson-bysedd-menyg, dwyllodrus, dlos a'r euogrwydd yn chwerw-felys. A finna isio cofio'i düwch hi i gyd oherwydd bod Cadi ynddi hi . . .

* * *

'Paid â mynd, Deio.'

Mi oedd hi'n drymaidd a mwll a'r diwedd Gorffennaf hwnnw'n bwdfa i gyd, yn dal i wasgu'i wres i weddillion y dydd. Roedd yna derfysg ynddi hi'n ffrwtian yn bell. Disgwyliai'r awyr, yn barod i dorri. Fel ei llygaid hi.

'Plis, Deio Bach. Paid â 'ngadael i'n hun.'

Fedrwn i ddim ond troi arni. Gwylltio. Mygu f'euogrwydd.

'Paid â bod yn fabi, Gwyneth! Ty'd o'na, wir Dduw! Ti'n hogan fawr rŵan . . .'

Ond doedd hi ddim, nag oedd? Doedd ei phymtheg oed hi ddim fel pymtheg oed pawb arall. Dewisais beidio â meddwl am hynny. Roedd hi'n haws edrych arni a gweld merch ifanc a oedd bron cyn daled â mi a'i chorff hi'n luniaidd ac iach; mynnais weld hynny am na fedrwn i ddelio â'i diniweidrwydd hi'r noson honno. Doedd ganddi mo'r hawl i'w orfodi arna i. Ac roeddwn i'n falch o'r gwres annaturiol a wasgai'n drymach, drymach yn erbyn fy nghydwybod i.

'Mi fasai Dad o'i go' hefo chdi . . . mi wnest ti addo . . . Dwi isio i Dad ddŵad adra . . .'

Mi oedd y craciau rhwng ei geiriau hi fel brigau'n torri, yn bradychu'r ferch fach oedd yn byw yn ei phen hi.

'Plis, Gwyneth . . . paid â thorri dy galon . . . mi fydd o yn ei ôl fory. Paid rŵan, Gwyn . . .'

Agorodd ei hwyneb i'r tynerwch-gwneud ac rôn i'n fy nghasáu fy hun am ei ddefnyddio dim ond i ddwyn perswâd arni.

'Deio, oes raid i ti fynd allan?'

Gafaelais ynddi a thynnu ei hwyneb i'm mynwes rhag gorfod edrych i'w llygaid hi. O achos bod llygaid Cadi tu mewn i mi'n rhywle, yn tynnu lluniau 'nghywilydd i a minnau'n dyheu amdani nes bod o'n brifo.

'Fydda i ddim yn hwyr, Gwyn. Dwi'n addo.'

'Wir Yr?'

'Wir Yr.'

Ac roedd yr awyr yr un lliw ag olion ei dagrau hi, yn pwyso yn erbyn y ffenestri. Teimlai popeth yn chwyddedig a llonydd fel petai'r cread i gyd ar fin byrstio.

'Mi a i i 'ngwely a gwrando amdanat ti. Ia?'

'Ia.'

'Gwrando am sŵn-chdi'n-troi-goriad-yn-clo, ia?'

'Ia.'

'Chdi fydd 'na wedyn, te?'

'Ia, fi fydd yna!'

Ar fy ngwaethaf fedrwn i ddim cadw fy llais yn hollol wastad. Gwyddwn iddi sylwi ar y tyndra oedd yn clymu 'ngeiriau wrth ei gilydd gan iddi ostwng ei hamrannau ar yr ebychnod ola', bron fel pe bai hi'n fy narllen i ar bapur, a meddyliais innau amdani fel dol fawr ddrud hefo llygaid-gallu-crio. Ond ddaru hi ddim crio, dim ond gwyro i lawr a mwytho'r gath oedd yn rhwbio o gwmpas ei fferau.

'Iawn, ta,' meddai, heb edrych i fyny. Roedd ei geiriau, fel ei hosgo, yn pefrio gyda'i dewrder plentynnaidd hi. Pe bai hi wedi codi'i llygaid bryd hynny mi fyddwn i wedi aros. Ond wnaeth hi ddim. Ac ar yr 'iawn, ta' hwnnw yr es i allan heb drafferthu i edrych yn ôl a chodi llaw fel yr arferaswn ei wneud — fyddai hi ddim wedi dod i sefyll ar garreg y drws i syllu arna i'n mynd y noson honno.

Roedd hi wedi dechrau taflu dagrau cyn i mi gyrraedd y Mans, lympiau oer o law'n anelu'n flêr fel petai llinyn mwclis wedi torri uwch fy mhen. Dyna ddaru i mi gyflymu 'ngherddediad o achos er cymaint rôn i'n ysu am gwmni Cadi roedd yr euogrwydd o orfod gadael Gwyneth ar ei phen ei hun yn driog dan fy sodlau i. Mi oedd Cadi yno'n agor y drws cyn i mi gyrraedd y tŷ, yn fy machu fel y gwnâi bob amser â'r wên-swil-gynta'r-noson honno, yn tynnu fy angen tuag ati. Roedd ganddi'r ddawn o wneud hynny, o ffugio rhyw swildod-bach-creu i'm denu o'r newydd o hyd. Ac eto, o'r munud y gwelais i hi mi wyddwn na fyddai'r heno yma fel pob heno arall. Dwi'n dal i gofio'r oerni llonydd hwnnw wrth i mi gamu i'r tŷ, oerni ag urddas tŷ gweinidog arno fo, oerni a oedd bron â bod yn braf ar ôl y gwres trymaidd a fu'n glynu wrth fy ngwegil i gynnau wrth i mi gerdded. Mi oedd popeth yno fel petai'n sgleinio — y coed yng nghanllaw'r grisiau, y ffôn mawr du wrth ddrws y ffrynt a'r gwydr lliw yn y drws hwnnw yn gapelaidd a syber: safai Cadi yng nghanol y sglein ac roedd y drych hirgrwn ar y wal gyferbyn fel wyneb llyn llefrith yn yr hanner tywyllwch, yn cofnodi'n chwithdod ni'n ddau gysgod ar wahân.

'Ti'n hwyr heno,' meddai hi. Doedd yna ddim arlliw o gerydd yn ei llais hi, dim gweld bai, dim ond rhyw grygni rhyfedd yn clymu'i geiriau hi i'w llygaid hi.

'Gwyneth,' medda finnau. Roedd ei henw hi i fod i egluro popeth.

'Bechod.'

Ceisiais wenu'n glogyrnaidd a dweud: 'Ma' Gwyneth yn fwy 'tebol na ma' neb yn ei feddwl.' Theimlais i fawr gwell, chwaith, o fod wedi cael dweud. Roeddwn i isio gafael yn Cadi, tynnu 'nwylo trwy'i gwallt hi fel y tro diwetha', fel pob tro arall. Pam felly bod rŵan yn wahanol? Roedd hi fel petai rhyw len anweledig wedi disgyn rhyngon ni — gwelsom angen ein gilydd ond doedden ni ddim yn gallu'i gyffwrdd o.

'Be' sy, Cadi?'

Dechreuodd hel cudynnau o'i gwallt tu ôl i'w chlustiau fel y byddai hi bob amser pan ddeuai pyliau bach o ansicrwydd drosti — sylwais ar symlrwydd y pelenni o aur a wisgai'n glustdlysau a chofio'u hoerni bach crwn droeon yn erbyn fy ngwefus . . . Mi oedd yr awydd i'w chofleidio hi fel poen corfforol am fy mod i'n gwybod y funud honno nad oedd wiw i mi wneud hynny. Dilynais hi drwodd i'r gegin lle'r oedd blerwch cynnes ei byw hi ym mhobman. Hon oedd ei theyrnas fach hi, yn llond sil ffenest o blanhigion lle deuai'r haul. Casglasai bob math o nialwch diddorol ar sgwaryn bychan o hysbysfwrdd — yn ei blith roedd cardiau post yn ebychiadau o liw, a'r un rhai yno am wythnosau bwygilydd fel petai hi'n gyndyn o dynnu'r un i lawr.

Meddyliwn amdani fel aderyn lliwgar mewn cawell — gwraig y Mans mewn Levis tynn yn casglu'i breuddwydion a'u rhoi'n sownd hefo pinnau bawd rhag iddyn nhw'i gadael hi'n unig.

'Ma' Eifion yn gwbod.' Roedd hi fel petai'i gwddw hi'n cloi am ochenaid wrth iddi ddal ei hanadl yn dynn am y gair ola'.

'Be'? Amdanon ni?' Uffar o gwestiwn gwirion. Beth arall oedd yn bwysig i ni ond hynny? Mi oedd normalrwydd y gegin mor fradwrus o ddigynnwrf, a'r bwrdd wedi'i guddio dan gwmwl o les gwyn a melfaréd a darnau o rywbeth arall sgleiniog na wyddwn i ddim beth oedd ei enw fo. Defnyddiau rhwysgfawr, drud ar draws ei gilydd a basged wnïo'n agored yng nghanol y geriach i gyd. Sut medrai hi feddwl am dynnu gwaith gwnïo yn ei phen ac yn gwybod bod arni isio dweud hyn wrtha i? Dilynodd hithau fy llygaid i a gwenu'n gam.

'Dillad ar gyfer pasiant y plant.'

A dyna lle'r oedd hi'n edrych i mewn i'm henaid i a'i llygaid hi 'run lliw â'r jîns yr oedd hi'n eu gwisgo — glas-golau-glân-wedi'i-olchi-droeon.

'Iesu, Cadi! Sut medri di fod yn gymaint o wraig gweinidog, dywed?'

'Sgin i ddim dewis, nag oes, Dafydd?'

Ond ar ddweud hynny y daeth hi ataf ac mi oedd y dieithrwch wedi'i wthio o'r neilltu. Roedd pennau'i bysedd hi'n dyner, gyfarwydd wrth ddarllen rhwng llinellau'r tyndra oedd yn meddiannu 'ngewynnau i. Roedden ni'n gwybod mai hwn fyddai'r tro olaf; roedd y cyfan yn gysegredig bron, yn ddefodol a glân a therfynol, fel golchi corff.

Roedd hi'n haws wedyn, rhywsut. Haws wynebu pethau. Am nad oedd yna ddim troi'n ôl i fod. Roedd hi fel cael fy ngorfodi i gael rhyw lawdriniaeth boenus ond angenrheidiol ac yn dal i deimlo'r pigiadau yn yr aelod hwnnw a dynnwyd oddi arna i. Gadewais y tŷ yn yr oriau mân a'r nos yn groeso gludiog amdana i fel petawn i'n bwrw f'ysgwydd yn erbyn gwe. Erbyn hyn roedd yr awel hithau wedi chwythu'i phlwc a'i nwyd wedi'i dreulio. Roedd y tamprwydd yn felys, yn ffresio'r noson drwyddi a phob coeden yn hel y diferion glaw i'w gwegil fel merch ar ôl cawod. Iesu, mi oedd y cwbl mor glir — pob deilen, pob seren, pob gwythïen chwyddedig ddu rhwng pob cwmwl mewn ffocws am y tro cyntaf fel petawn i'n gweld trwy wydrau newydd a'r rheiny mor lân nes oedden nhw'n pigo'n llygaid i . . .

* * *

'Deio?'

Cywilyddiais am adael i'm meddwl grwydro ar draws ei chyfrinach hi, a chadw gwrid y cywilydd hwnnw tu mewn i mi nes ei fod o'n pigo'n oer ar hyd asgwrn fy nghefn. Gwên plentyn oedd ei gwên hi o hyd, a gorfoledd honno'n deffro'i llygaid hi. Roedd hi bron yn ddeg ar hugain ac yn dal i allu gweld rhyfeddod yn y pethau bychain bob-dydd nad oeddwn i'n trafferthu i gofio'u bod nhw'n bod; yn dal i allu gwirioni'n lân heb ronyn o gywilydd. Petawn i wedi cael cynnig ffortiwn y funud honno i ddehongli fy nheimladau, fyddwn i ddim wedi gallu ymateb, ddim wedi gallu gwneud synnwyr o ddim. Mae hi'n haws heddiw, yn haws cyffwrdd mewn atgof a'i droi yn fy nwylo, ei ddal wedyn ben-ucha'n-isa' er mwyn gweld mewn gwaed oer o ble mae o wedi dod. Ac mae hi'n haws cyfaddef, er yn ddistaw bach, mai cenfigen oedd wrth wraidd fy ansicrwydd y diwrnod hwnnw.

'Dwyt ti ddim yn flin efo fi, nag wyt, Deio?' Roedd yna ryw ymbil plentynnaidd ynghlwm o hyd wrth ei geiriau hi, yr hen, hen ddyheu hwnnw am sicrwydd a chymeradwyaeth. Y gorwyleidd-dra didwyll, gwynnach na gwyn hwnnw a'i gwnâi hi mor ddibynnol ar bawb ohonom. Ac eto . . . 'Mae o'n ffeind. Yn dyner a ffeind efo fi . . .'

Am unwaith synnais nad oedd hi wedi disgwyl am fy ateb i'w chwestiwn. Ac am unwaith, wnes innau ddim brysio i wneud hynny rhag atalnodi dim, am wn i, ar lifeiriant ei sgwrs, a oedd yn gymysgedd annaearol bron o wraig ifanc synhwyrus, synhwyrol a merch fach ddiniwed wedi mopio'i phen am rywbeth na wyddai affliw o ddim amdano fo.

''Dan ni'n gafael yn dynn, dynn am ein gilydd.' Gwasgodd ei breichiau'i hun yn dynn amdani, fel petai hi'n gwisgo'i llawenydd nesa' at ei chroen. 'A mae o'n rhoi swsus yn fy ngwallt i . . .'

'Does dim isio i ti ddeud wrtha i, Gwyneth.'

Mi roedd hi'n rhannu'i chyfrinach mor rhad — y pethau cysegredig, cudd hynny na fedrwch chi ddim gwybod amdanyn nhw, mo'u deall heb gael eich caru eich hun. Meddyliais am Cadi; tybed oedd y blynyddoedd a'r cusanau glöyn byw yn gaeth rhwng ei dwylo hithau hefyd? Roedd Gwyneth fel petai hi wedi fy narllen i eto, yn codi briwsion o 'mreuddwyd i:

'Ti'n dallt, yn dwyt, Deio?' Roedd yna ryw ddealltwr-iaeth gyfrin rhyngon ni o hyd, rhywbeth uwch law oed meddwl ac amser, rhywbeth prin na fynnwn ei ddibrisio drwy roi ateb nawddoglyd iddi.

'Ma' ddrwg gin i, sti, Gwyn. Am dy adael di ers talwm. Noson y storm.'

Daliodd ei phen ar un ochr, fel cath fach mewn cyfyng-gyngor. Deallais sut byddai dyn yn gallu gwirioni amdani.

'Pan est ti at Cadi?'

'Ia.'

'Dim ots rŵan. Ers talwm oedd hynny.'

'Mae o'n dal i bigo 'nghydwybod i. Pan fydda i'n meddwl am y peth.'

'Mi ddeudist ti 'mod i'n hogan fawr. Yn ddigon 'tebol. "Mi fydd Dad adra' fory." Dyna ddeudist ti cyn i ti fynd. A hitha'n t'ranu'n bell i ffwrdd.' Gan unrhyw un arall mi fyddai'r geiriau hynny wedi'u llwytho'n fwriadus â siomedigaeth ddig y bu'r blynyddoedd yn ei bwydo nes daeth amser talu'r pwyth. Ond wyddai Gwyneth ddim sut i fagu dicter. 'Mi ôn i'n gwbod y basa pob dim yn iawn pan ddôi fory, ti'n gweld. Ac mi oedd hi'n nos, beth bynnag. Dim llawar i fynd tan bora. Ac mi gysgais i'n sownd ac anghofio gwrando amdanat ti'n troi goriad yn clo. A Pwtan yn c'nesu 'nhraed i . . .'

Nid y fi oedd yr unig un felly i gofio manylion y noson honno. Ond yn eu diniweidrwydd roedd ei hatgofion hi'n llawn o'r pethau gorau — yn dynerwch cwsg a chwmni cath fach cyn i yfory ei chyffwrdd yn siafins o oleuni a britho'i hystafell wely fel blawd lli'. Yn ddiarwybod, cynigiodd ei maddeuant i mi pan edrychodd arna i trwy'i chyfrinach a dweud:

'A ma' gen inna gariad rŵan nad oes fiw i neb wybod amdano fo.'

Roedd arni hi isio dweud. Daliai ei enw yn ochr ei cheg fel peth-da poeth . . . *Na, Gwyneth, paid â deud* . . . Doedd hi ddim yn deall bod rhannu cyfrinach fel agor anrheg — yn bleser byrhoedlog, byrbwyll cyn colli'r hud. Roedd y plentyn yn ei llygaid hi'n gyffro i gyd ond roedd llinellau tryloyw esgyrn ei bochau hi a'i gwefusau gwlithog yn perthyn i wraig ifanc mewn cariad. Dyna pam ddaru mi droi 'mhen, troi'r stori — newid cyfeiriad pethau, efallai'n rhy sydyn, nes iddi edrych arna i'n ddiddeall a'i hwyneb yn cleisio fel petai holl olau'r ystafell y funud honno wedi cilio tu ôl iddi. Fynnwn i ddim iddi ddisgyn i fagl ei diniweidrwydd ei hun, ond ddeallodd hi ddim; welodd hi ddim ond difaterwch a throdd oddi wrtha i, ei hysgwyddau fel petaen nhw'n disgyn dan bwysau'i dillad hi . . . *Na, Deio Bach, neith Gwyneth ddim deud* . . .

Rhyw dridiau yn unig a aeth heibio cyn i'r gyfrinach ei bradychu'i hun. Es i mewn i'r tŷ yn ôl fy arfer — heb fod yn arbennig o ddistaw nac yn anarferol o swnllyd. Diwrnod arferol oedd hi. Roedd popeth, a dweud y gwir, wedi bod yn od o arferol wedi afrealedd echdoe. Mae'n amlwg na chlywodd Gwyneth mohono fi. Na fynta chwaith. Roedd hi'n gwisgo gwyrdd ac roedd y gegin gefn yn frodwaith o oleuni lle plethai cysgodion dail y coed y tu allan eu patrymau les ar hyd y parwydydd. Mae gwyrdd wedi gweddu iddi erioed. Lliw ei ffrog-hogan-fawr gyntaf un. 'Sbia del dw i, Deio! Sbia del!' — a hithau'n troelli, troelli — fel tylwythen deg wedi'i lapio mewn deilen — 'Del! Del! Sbia, dw i'n ddel . . .' 'Run lliw â'r ardd ei hun. A ninnau i gyd ar gyrion ei phiriwét yn ei gwylio'n offrymu gwynder ei garddyrnau bychain i oriogrwydd yr haul.

Fe'm cefais fy hun felly y pnawn hwnnw hefyd. Yn sefyll ar gyrion rhyw orfoledd prin ac ofn anadlu rhag iddo ddiflannu. Ac roedd llygaid Gwyneth yn dal i ddweud 'Sbia del dw i heddiw!' Ond arno fo'r oedd hi'n edrych ac roedd y llonyddwch mor llonydd roedd hi fel pe na bai'r darlun o 'mlaen i o gwbl, dim ond yn fy mhen i fel sgerbwd hen freuddwyd.

Nid y ffaith 'mod i'n ei adnabod o ddaru fy nhaflu. Nac ychwaith y ffaith ei fod o'n briod. Nid y pethau hynny a barodd i'm hanadl gymylu tu mewn i mi; arallfydedd y llun yma ohonyn nhw a wnaeth i mi deimlo fel petawn i wedi eu dal nhw ym mreichiau'i gilydd. O achos mi oedd hi'n teimlo felly trwy'r distawrwydd sepia. Roedd pennau'u bysedd nhw'n cyffwrdd yn ysgafn ar draws y bwrdd a'r ystafell yn gapsiwl o olau cyn byddai'r pnawn yn ochneidio a darfod. Yr un golau oedd o, y golau dydd a welodd Gwyneth drannoeth wedi'r storm yn wisg wen am wyryfdod ei hyfory hi. Gwyn. Gwynnach. Gwynnaf. Gwyneth. Gwyneth wen. Dwylo gwyn. Gwên fel cysgod blodyn.

Mi es i allan ar flaenau fy nhraed a'u gadael yn y goleuni.

Hanner Pechadur

Roedd hi'n feirniadaeth ysgytwol a'r dyrfa'n fud yng ngwres y pafiliwn. Clywais y geiriau 'gwefr' ac 'ing'. Pan ddyfynnwyd o'r dilyniant arobryn bu i'r distawrwydd anadlu. Ac fe ganodd ei ffugenw yn fy mhen fel pe bai'n cleisio'n erbyn muriau ystafell wag . . .

* * *

Fo oedd y myfyriwr disgleiriaf yn ei flwyddyn. Daeth ataf un p'nawn a'i draethawd yn ddestlus mewn waled blastig.

'Ma' hi'n bwrw,' medda fo'n wylaidd, fel petai o'n teimlo bod rhaid iddo ymddiheuro am gymryd gofal o'i waith.

'Dach chi wedi gorffen yn brydlon iawn, Dafydd.'

Tynhaodd ei wefusau'n ddiymhongar. Roedd hi fel petai arno ofn canmoliaeth. Sylwais arno'n oedi'n ansicr; safai â'i ysgwydd yn erbyn ffrâm y drws a'i daldra'n peri chwithdod iddo. Disgwyliai i mi ofyn iddo fo. Wedi'r cyfan, fi oedd y tiwtor. Ac roedd yntau'n dibynnu ar hynny.

'Petha'n mynd yn iawn, ydyn?'

Sgrytiodd ei ysgwyddau fel petai ias yn ei gerdded.

'Dwi'n mwynhau'r cwrs,' meddai'n gwrtais. Yn rhy dawel. Nid dyna'r ateb y dymunasai ei roi. Roeddwn i'n ymwybodol o far noeth y tân trydan yn sgrech goch ofer mewn ystafell oedd yn rhy fawr.

'Pam na 'steddwch chi am funud? 'Dan ni ddim wedi cael fawr o gyfle am sgwrs yn ddiweddar . . .'

Camodd yn ei flaen er mwyn i'r drws gau tu ôl iddo ac fe giliodd y drafft. Roedd ei lygaid o'n anwesu popeth heb edrych yn iawn ar ddim byd. Ymestynnodd ei goesau hir wrth geisio eistedd yn gyfforddus; gresynais nad oedd gen i well cadair i'w chynnig iddo. Roeddwn i'n falch bod blerwch y ddesg yn tynnu'i lygaid o oddi arna i am ychydig. Sylwodd yn sydyn ar gyfrol fechan y bûm yn pori ynddi eiliadau ynghynt.

'Yeats,' meddai, fel petai o newydd adnabod ffrind. Roedd brwdfrydedd yn ei lais yn awr.

'Anodd curo'r Gwyddelod am dipyn o angerdd,' atebais, a sylweddoli'n syth 'mod i'n swnio braidd yn smala. Ond dydw i ddim yn credu ei fod o'n gwrando bryd hynny.

'Mi fedra i uniaethu hefo Yeats.' Cododd ei olygon yn sydyn; roedd hi'n amlwg nad oedd o wedi ceisio bod yn smỳg. 'Hynny yw, dwi'n credu 'mod i'n dallt sut oedd o'n teimlo . . .'

Mi oedd yna ddegau o wŷr ifanc glandeg wedi eistedd o 'mlaen i a bwrw'u boliau wedi i ryw fardd neu'i gilydd gynhyrfu'u cydwybod nhw. Pethau iach oedd delfrydau yn ei oed o, os nad oedden nhw'n mynd dros ben llestri. Dechreuais chwalu amheuon. Roedd rhywbeth, rhyw helynt . . . Felly dyma ddechrau 'sgota.

'Mae teimladau Yeats at ei wlad yn medru cyffwrdd mewn dyn . . .'

Mentrodd yntau edrych i fy llygaid i.

'Nid at ei wlad yn unig. Mae pethau eraill — y peth arall . . .' Oedodd. 'Biti na fyddai ganddi enw tlysach.'

'Pwy?'

'Maude Gonne.'

Mygais ochenaid. Pwy oedd hi felly, tybed? Y gywan fach hirwallt a dorrodd ei galon a'i wrthod wedyn? Mi oedd sgarff coleg a sgert gwta'n gyfuniad meddwol pan oedd sêr dros Siliwen.

'Mae o'n digwydd i ni i gyd, wyddoch chi, Dafydd.' Roedd o'n edrych yn ddifrifol ar goler fy nghrys i lle'r oedd y defnydd yn dechrau breuo, yn amlwg yn ei chael hi'n anodd credu hynny. 'Dydw i ddim yn trio bychanu'ch teimladau chi. Mae hi'n goblyn o ergyd — perthynas yn chwalu . . .' Roeddwn i'n swnio'n rhy dadol tra oedd ei lygaid yntau'n tyllu trwy'r ystrydebau. Ceisiais roi cyfle iddo. Bod yn broffesiynol o bwyllog; gadael seibiannau yn y llefydd iawn. Ond gwrthodai lenwi'r llefydd gwag rhwng y brawddegau. Mentrais drachefn:

'Ma' hon yn flwyddyn bwysig i chi, Dafydd. Rhaid i chi drio'i gwffio fo — peidio gadael i'r gwaith fynd ar ôl . . .' Er nad oedd hynny wedi digwydd hyd yn hyn. Roedd safon ei waith yn gyson, aeddfed. Meddai ar ryw weledigaeth brin, anodd ei diffinio. Oedd, roedd ots am hwn.

'Mi wn i ei bod hi'n anodd — gorfod ei gweld hi o gwmpas y coleg 'ma bob dydd . . .'

Dychmygais am ennyd iddo edrych braidd yn dosturiol arna i. Tynnodd ei ddwylo o'i bocedi a phlethu'i fysedd.

'Gwraig y gweinidog 'cw oedd hi,' medda fo'n llyfn. 'Adra, yn y Foel.'

Nid am effaith y dywedodd o. Roedd hi'n amlwg bod

fy mudandod yn ei aflonyddu. Bûm i'n syllu arno am rai eiliadau pan ddywedodd:

'Meddwl ôn i y baswn i'n sgwennu . . .'

'Yn lle mygu?'

Cyrliodd ymyl ei wefus. Nid gwên mohoni.

'Rwbath felly.' Roedd ei ddwylo'n aflonydd. 'Y catharsis, debyg. Onid poen sy'n ysbrydoli pob llenor?'

Deallais pam fod Yeats wedi apelio. Roedd olion y tamprwydd tu allan yn we gynffonnog hyd ysgwyddau'i gôt. Tynnodd rolyn blêr o bapur o boced ei gesail. Ymdrechion y darpar-fardd. Gwyddai'r ddau ohonom mai fy nhro i oedd dweud rhywbeth. Gwnes innau'r peth llywaeth. Dwyn geiriau dyn mwy na mi fy hun.

'I sometimes hold it half a sin . . .'

' . . . to put in words the grief I feel.' Gorffennodd y dyfyniad i mi a llonyddodd ei ddwylo. Mi ddylwn i fod wedi sylweddoli.

'Wrth gwrs. Mi fasech chi'n gyfarwydd â Tennyson.'

Gwenodd wên fach dynn.

'Dwi'n darllen cymaint ag y galla i.'

'A rŵan mae'r awen yn eich cymell chitha?'

Sylwodd bod fy llygaid yn cael eu tynnu at y dalennau yn ei law.

'Efallai y basech chi'n bwrw golwg dros un neu ddwy ohonyn nhw . . ?'

Gallwn fod wedi ymfalchïo rhywfaint yn y ffaith fod ganddo gymaint o barch i 'meirniadaeth i pe na bai'r llen honno o ansicrwydd wedi'i thynnu'n isel dros ei lygaid o. Doedd o ddim am i mi fod yn garedig wrtho. Teimlais ei wyneb arnaf tra oeddwn i'n darllen.

'Nid celwydd mohonyn nhw,' meddai'n amddiffynnol.

A hwyrach mai dyna oedd dagrau pethau. Ei enaid o'i hun oedd yma, yn cynnig ei gyfrinach fel llaw agored.

'Y deunydd crai ydi hwn, yntê, Dafydd?'

Nid atebodd. Gwyddai'r ddau ohonom mai hon oedd ei gyffes cyn y gallai symud ymlaen. Estynnodd yn ofalus am ei bapur. Roedd o am ei gwneud hi'n hawdd i mi. Roedd sŵn y papur yn rhwygo mor fesuredig lân â phe bai o'n torri torth o fara rhwng ei ddwylo; ac mor wyn oedd y rheiny, fel bara eu hunain.

'Gormod o eiriau,' meddai. Roedd rhywbeth tebyg i ollyngdod yn ei lais.

'Gormod o alar, efallai?'

Llaciodd rywfaint wedyn ar gyhyrau'i wyneb: 'Ond dim ond hanner-pechu ydi hynny. Dach chi ddim yn cytuno?'

Cyfeiriai at eiriau'r bardd y buom yn ei ddyfynnu gynnau fach.

'Felly dach chi'n eich gweld eich hun, ia, Dafydd? Rhyw hanner-pechadur?'

Gallai wenu rŵan; roedd ei gerddi'n ddarnau hyd y ddesg a doedd hynny ddim o unrhyw bwys. Roedd ganddo lygaid bardd, ac am y tro byddai hynny'n ddigon. Pan gododd i fynd roedd o'n hŷn a'i gôt o wedi sychu.

'O'r gwewyr at y gwaith, felly,' meddai. Chwarddodd yn swil i ysgafnu'i eiriau, pesychiad sydyn o sŵn yn clecian yn feddal yn ei wddw fel clicied yn codi.

Daliwyd ei eiriau'n fud rhwng y pedair wal ymhell ar ôl iddo fynd. Pan drois i'n ôl at farddoniaeth Yeats roedd hi fel pe bai o wedi anwesu'i ofid hefo llygaid Dafydd Parry.

* * *

Mi ganodd o am freuddwydion, brau fel niwl mynydd, ac am y barrug yn gusanau oer hyd ei sgidia'. Achubodd ei oriau o'r llif ac fe safon nhw'n stond iddo o dan y golau a'u bronnau'n llaith. Canodd am yfory a ddoe'n gynnes ar ei wegil, fel anadl merch . . .

Roedd hi'n gadair gywrain, yn hir ei chefn, yn fferru mewn soser o oleuni tra hebryngwyd 'Hanner-Pechadur' i'r llwyfan. Eisteddai ynddi'n gefnsyth a'i daldra'n rhoi urddas anghyffredin iddo. Ac fe gaeodd ei fysedd yn dynn am freichiau'r gadair hon, am gymhlethdod hardd y cerfiadau, fel petai o'n gwasgu'i gyfrinach i'r coedyn melyn. Anwesai ei lygaid bawb a phopeth ond fe daerech, mewn gwirionedd, nad oedd o'n edrych yn iawn ar neb na dim. O achos mai llygaid felly oedd ganddo; llygaid-troi-ddoe'n-yfory. Llygaid bardd.

Y ferch a welodd liwiau'r glaw

Roedd hi tua deg ar hugain, yn dal ac yn fain. Dyna a wnâi iddi edrych yn 'fengach na'i hoed, debyg gin i. Ei meinder ystwyth oedd yn gwneud i mi feddwl am goeden ifanc. Hynny a'i llygaid hi. Roedden nhw'n las ac yn wyrdd, yn wyrdd neu las, yn las a gwyrddlas bob yn ail . . . A phob yn ail roedden nhw'n llenwi â rhyfeddod ac ofn — na, nid ofn, efallai — rhyw nerfusrwydd sydyn oedd o, fel sydd yn llygaid anifail gwyllt ond diniwed yn sefyll ar gyrion rhywle diarth. Fedrwn i ddim peidio â syllu arni. A hithau yn ei thro yn sbio'n syn ar y glaw oedd yn tabyrddu'n orffwyll ar do'r feranda hir.

Fel arfer mi fyddwn i wedi tynnu sgwrs yn syth hefo rhywun yn cydgysgodi hefo mi fel hyn — yn enwedig a dim ond dau ohonon ni yno. Ond doedd hi'n cymryd dim sylw ohonof. Nid ei bod hi'n fy anwybyddu i'n fwriadol. Roedd hi fel pe na bai hi'n sylweddoli fy mod i yno o gwbl. Gorweddai cysgod gwên ar hyd llinell ei gwefus. Safai fel delw fyw, yn synhwyrau i gyd, yn gwrando, gwylio, anadlu rhyw gyfrinach bell ynghudd rhwng nodwyddau'r glaw. Roedd hwnnw'n rhoi ei liw-dim-byd ar bopeth fel petai rhywun yn ceisio chwalu golau'r dydd â phensil fain. Suai'r glaw fy synhwyrau innau. Mydrai'n feddal ar hyd y ddaear tra oedd dail y coed a'u tafodau'n diferu. Fe'm daliwyd yn gaeth rhwng rhythmau'r gwlybaniaeth a theimlais yn euog, rywfodd, 'mod i'n ei gwylio mor fanwl, 'mod i'n manteisio ar y ffaith nad oedd neb arall yno i 'ngweld i'n rhythu arni. I 'ngweld i'n cribo llen ei gwallt â chil fy llygad. Roedd o'n wallt anhygoel, yn dilyn llinell ei hysgwyddau mor glos â phetai'i chorff i gyd wedi'i gerfio allan o goedyn llyfn. Dychmygais gyffwrdd y gwallt hwnnw a theimlo gwres o dan ei sglein oer. Pan dorrodd mellten ddyfrllyd trwy'r llwydni fe'i gwelais yn camu'n ôl ac yn ei blaen wedyn yr un mor gyflym at ganllaw'r feranda fel plentyn a'i chwilfrydedd yn drech na'i nerfusrwydd. Sylwais ar y smotiau o damprwydd sydyn yn britho blaenau'i hesgidiau a mygu rhyw awydd anesboniadwy i gydio yn ei llaw hi a'i thynnu'n ôl i'r cysgod. Tu ôl i ni roedd synau'r tŷ bwyta'n groesawus a gwâr. Mi fedrwn fy nychmygu fy hun yn hawdd yn ei hebrwng i mewn a gwylio'r llygaid dyfrlliw 'na'n toddi uwch ben gwres ei chwpan goffi. Tra oeddwn i'n ceisio chwerthin yn fewnol am ben fy ngwendid fy hun ac yn dyheu ar yr un pryd iddi sylwi 'mod i'n bod, edrychodd arna i. Yn sydyn, ddirybudd, lygad-agored fel y mellt-bocs-matsys oedd yn poeri'n wyn i dwll y pnawn. Ac meddai hi:

'Storm. Mi fydda i'n lecio gwylio storm.'

Dawnsiodd ei llygaid oddi arna i wedyn, yr un mor ddisymwth. Wyddwn i ddim sut i ddal ei sylw. Onid oedd hi'n rhaid i'r hyn a ddywedwn wrthi nesaf fod yn ddiddorol? Neu'n ddoniol, hyd yn oed? Ond y cyfan y medrwn i feddwl am ei ddweud oedd:

'Gwatsiwch, neu mi fyddwch chi'n g'lychu yn fanna!'

Roeddwn i'n hanner cant, yn briod ers erioed, ac allan

o bractis yn sobor. Ond doedd hi ddim yn ymddangos ei bod hi wedi fy nghlywed i.

'Ma' hi'n cilio rŵan,' meddai. 'Y glaw'n dechra arafu.' Edrychodd hi ddim i 'nghyfeiriad i chwaith pan ddywedodd hi hynny. Mae'n debyg nad hefo fi yr oedd hi'n siarad mewn gwirionedd. Am y tro cyntaf roeddwn i'n boenus o ymwybodol fy mod i wedi magu bol. Fedrwn i ddim cynnal sgwrs. Roedd fy meddwl i'n gloff, y geiriau y buaswn wedi gallu'u llefaru yn hercio'n gynffonnog rhwng twrw'r tŷ bwyta tu ôl i ni a phitran pytiog y glaw'n troi'n gudynnau o wlybaniaeth ar hyd y llwybr tu allan.

'Sgin i ddim ofn. Sgynnoch chi?' Eto fyth, roedd ei sylwadau'n annisgwyl, yn fy nghyrraedd i o nunlle.

'Be' . . ?'

'Mellt a th'rana. Sgin i ddim o'u hofn nhw o gwbl.' Sylw plentynnaidd, bron yn swil. Ai bod yn smala oedd hi? Yn gellweirus? Roedd hi'n anodd dweud. Roedd rhywbeth gwahanol ynglŷn â'r ferch welw, fain a'i gwallt lliw cyflath. Doedd ganddi mo'r pwyll, mo'r arafwch lluniaidd y disgwyliaswn ei weld mewn rhywun o'i hoed a'i harddwch hi. Ac eto, doedd hynny ddim heb ei swyn. Roedd hi'n siglo'i chorff yn ôl a blaen yn ysgafn, yn cadw'i chydbwysedd drwy afael yn y canllaw coed. Bob hyn a hyn taflai'i phen yn ôl a chodi'i gên at y gwlybaniaeth oedd yn poeri i'n cyfeiriad ni. Tra 'mod i'n melltithio anghyfleustra'r glaw ac yn farus o ymwybodol o arogleuon coffi ffres a chacennau yn fflantian trwy gil y drws roedd hi'n gwbl ddi-feind o bopeth ond yr hyn a welai yn y gerddi o'i blaen. Nid ei bod hi'n syllu ar y blodau — roedd hi fel petai hi'n edrych iddyn nhw, rhyngddyn nhw, yn gweld lliw yn y llen o damprwydd llwyd oedd yn ymestyn dros bob man fel cwfl.

'Dwi'n disgwyl am fy mrawd.'

Roedd ei brawddegau'n sydyn a digymell, yn mynnu dim yn ôl. Siaradai fel rhywun a arferasai beidio â chael atebion i'w sylwadau, ac a deimlai'n boenus o gartrefol yn cynnal sgwrs â hi ei hun.

'Yma hefo trip ydach chi?'

'Naci. Hefo 'mrawd.' Nid trio bod yn glyfar oedd hi. Ychwanegodd: 'Fydd o ddim yn hir, gewch chi weld.'

Thrafferthais innau ddim i esbonio: Wel, yma hefo trip Capal 'dan ni. Gorfod mynd bob blwyddyn — a finna'n un o'r blaenoriaid, te. Un o bileri'r blydi cymdeithas, yn gwerthu raffls at y Blaid a Glenys y wraig yn prynu 'nhrôns i yn Marks mewn pacedi o dri. Hyd yma ma' heddiw wedi bod yn ddiawledig o ddiflas ond ma' Gerddi Bodhyfryd 'ma'n un o hoff lefydd Glenys — a dwi 'di colli honno yn rhwla ers dros awr a hannar a phan ddaw hi o hyd i mi yn y munud mi ga i uffar o le am grwydro oddi wrthi . . . Na. Ddywedais i ddim. Doedd o ddim yn bwysig, yn gryno, yn sydyn a swil. Hefo rhywun arall mi fyddwn i wedi adrodd stori ddoniol am ddianc oddi wrth y wraig. Ond nid hefo'r ferch hon. Yn reddfol, rhywsut, gwyddwn na fyddai ffraethineb o'r math hwnnw yn ei chyrraedd hi o gwbl. Y ferch ddiarth, ryfedd, ryfeddol na wyddwn i ddim pam fy mod i â chymaint o ddiddordeb ynddi ers cyn lleied o amser. Na wyddwn i ddim sut i esbonio'r dynfa dyner a deimlwn tuag ati.

Peidiodd y glaw a gadael gwacter ar ei ôl. Fesul un ac fesul ychydig ymddangosai pobol yn betrus o wahanol gyfeiriadau a phigo'u ffyrdd fel cathod cysetlyd i dir neb y tamprwydd. Ymhen munudau brasgamodd dyn cymharol ifanc ar draws y llwybr o'n blaenau i gyfeiriad ein cysgodfan. Tybiwn ei fod o gwmpas ei ddeugain. Yr un taldra, yr un meinder, yr un croen gwelw ond y gwallt tywyll yn rhyw natur dechrau britho. Hwn oedd y brawd. Roedd yr olwg ar ei wyneb o'n gymysgedd od o gonsýrn a diflastod. Anelodd i'w chyfeiriad heb unwaith godi'i lygaid fel petai rhyw gortyn cudd yn ei dynnu tuag ati. Edrychodd hithau arno'n ddisgwylgar a'i hwyneb yn olau i gyd. Syllais arnyn nhw'n ddigywilydd fel petawn i'n gwylio golygfa mewn ffilm.

'Ti'n iawn?' gofynnodd y brawd.

'Ydw. Yn iawn,' atebodd hithau, fel eco. Roedd rhythm eu sgwrs fel rhythmau'r glaw gynnau fach, eu geiriau'n bownsio oddi ar ei gilydd a diferu. Yna mi sylwon nhw arna i, ill dau, yr un pryd, ag un edrychiad. Y fo fentrodd:

'Dan ni'n cael tywydd sobor.'

'Ydan. Sobor.' Beth oedd ynglŷn â'r gŵr hwn a fynnai ei fod yn cael atebion ailadroddus i'w sylwadau i gyd? Ei lygaid, efallai. Roedden nhw'n ddiwaelod, yn meddiannu'n geiriau ni.

'Dydi hi'n ddim byd tebyg i haf.'

'Dim byd tebyg,' cytunais, a gwenu'n fewnol gan fy mod i wrthi eto, yn dilyn ei eiriau'n glogyrnaidd fel petawn i'n darllen hefo 'mysedd. Yn dod â mi fy hun yn nes at ei sgwrs o.

'Dwi'n nabod eich gwynab chi,' meddai. Roedd ei frawddegau yntau hefyd yn annisgwyl a digymell, a'u sydynrwydd yn rowlio oddi arna i. Chynigiais i mo fy enw iddo, dim ond syllu'n ôl arno'n gloff a'i herio, am wn i, i'w brofi'i hun. Fe wnaeth.

'Chi oedd yn dŵad acw i roi gwersi piano i mi!'

Ac yn reddfol edrychais ar ei ddwylo, ar ei fysedd hir oedd yn welw a main fel y gweddill ohono. Cofiais y dwylo hynny wedyn, cofio'u dawn. A'i gofio yntau'n bedair ar ddeg sensitif, llwydaidd, yn bwrw'i alar i'r nodau tra oedd y pridd yn rhy ffres ar fedd ei fam iddyn nhw fedru gosod carreg. 'Dan ni ddim wedi gallu rhoi carreg arni hi eto . . .' Y tad yn siarad heb sbio ar neb, yn cynnal sgwrs am mai dyna'r peth gwaraidd i'w wneud. Geiriau dyn ar goll yn ymddiheuro am rywbeth nad oedd ganddo reolaeth arno, a'r ferch fach bryd tywyll fain honno'n cydio'n dynn yn ei law. Eisteddai'r bachgen o flaen y biano drom a'i hanwesu â'i lygaid. Pan gyffyrddodd ei fysedd â'r alaw roedd hi fel petai gwaed yn llifo'n gynnes o friw. Fe'm clywais fy hun yn sibrwd *'adagio'* a'i ddwylo fynta'n arafu fel gwyfynnod yn darfod. Haf oedd hi. Cerddais adref â hiraeth y tri ohonyn nhw'n canu yn fy nghlustiau. Roedd yr haul yn ddiferion o dan fy nghrys a'r gwyddfid yn sicli yn y cloddiau. Symudai fy nhraed i rythmau araf y miwsig yn fy mhen. Hithau'n boeth, boeth a'r pnawn yn nofio. Gwres melyn mawr yn malio dim a phlant Cae Aur heb fam.

Sylweddolais imi fod yn rhy hir yn chwalu meddyliau. Ond roedd o'n dal i syllu arna i'n amyneddgar, yn ffyddiog y baswn i'n cofio.

'Mae blynyddoedd maith,' medda fi a synnu at dynerwch fy llais i fy hun.

'Dach chi'n dal i ddysgu'r piano?'

Ysgydwais fy mhen. Roedden ni'n cael ein tynnu'n barod i gyfeiriad y mân siarad dibwys sy'n ffynnu ar ddieithrwch. Mi sonion ni am y tywydd anwadal, a cheisio gwneud ein lleisiau'n ddiddorol. Mentrais ofyn sut oedd eu tad. Mewn cartref i'r henoed, bellach, medda fo. Gostyngodd hi ei llygaid ar hyn ac edrych yn drist. Difarais 'mod i wedi holi o gwbl. Roedd hi'n gafael yn llaw ei brawd ac yn fy mhen gwelais y darlun ohoni ers talwm yn llaw ei thad; y biano'n oer a'r haul yn boeth a'r pridd heb sadio digon iddyn nhw roi carreg ar y bedd . . .

Rhyw ddal pen rheswm felly ddaru'r ddau ohonon ni tra oedd tymheredd y dydd yn dal i godi a'r glaw'n ddim ond staeniau brith ar wynebau pethau. Roedd ei chwaer yn dawedog, ei llygaid yn crwydro'n araf oddi ar ein hwynebau ni ac yn dychwelyd yn swil, aflonydd fel adar yn glanio. Roedd o wedi dod â hi yma am dro, meddai. Gweld y tywydd mor braf pan oedden nhw'n cychwyn y bore hwnnw. Rhyw ddiwrnod allan fel hyn yn gallu bod yn llesol iawn weithiau. Doedd hi ddim yn cael y cyfle'n aml i fynd i nunlle. Dywedodd hyn i gyd fel pe na bai hi yno yn rhan o'r llun o'r tri ohonon ni. Roedd hi'n amlwg bod ganddo feddwl ohoni ond roedd ei ofal amdani'n rhy dynn, ei eiriau'n cau amdani, yn nofio dros ei phen hi. Meddyliais am gwningen ddof wedi'i chau i mewn er ei lles ei hun wrth i mi edrych arni. Cwningen ddel, sidanaidd, ddu. A dychmygais ei rhyddhau.

'Ifor!' Llais Glenys o rywle'n rhy agos cyn i stremp blodeuog ei ffrog ferwi ar draws fy llygaid i. 'Lle ti 'di bod? Be' oedd ar dy ben di'n crwydro a 'ngadael i . . ? A diflannodd plant Cae Aur nad oedden nhw'n blant mwyach gan adael eu llun yn llinellau ar hyd fy nghof i fel cynhinion breuddwyd.

'Choeli di byth, Glenys fach, pwy fuo yma'n siarad efo fi rŵan . . .'

'Dwi wedi bod yn chwilio amdanat ti 'mhobman fel ffŵl! Gwrthod mynd am ginio hefo Lydia a Musus Jôs Gw'nidog rhag ofn basat ti'n aros amdana i . . .'

'Sori.'

'Ia, 'swn i'n feddwl, hefyd. Dwi'm 'di cael tamaid o ddim ers panad ddeg. Yn stumog i'n meddwl bod 'y ngheg i di'i gwnïo . . !'

'Yli, Glen, awn ni i fama . . . ma' 'na le panad . . .' Rhywbeth, unrhyw beth, i atal y llifeiriant diawledig oedd yn rhygnu ar draws hyfrydwch pob dim oedd yn fy mhen i.

'Ty'd i mewn, ta,' meddai'n bwdlyd ond yn dynerach. Roedd hi fel petawn i'n camu'n syth o un byd i'r llall, yn sgwrsio a gwenu hefo gwefusau rhywun arall.

'Be' gymri di? Ifor? Ti'n gwrando dim . . .'

Ond arhosai ei geiriau y tu allan i mi fel drafft y tu allan i ddrws. Sylwais ar y llinellau mân yng nghorneli'i gwefusau hi, yn tynnu, tynnu tuag i lawr. Syrthiais mewn cariad â hi yn symlrwydd ers talwm pan oeddwn i'n rhywun arall a hithau'n ifanc. Rŵan roedd ers talwm ar goll yn y niwl a finna'n syllu trwy'r haul newydd oedd yn cael ei wasgu'n wyn dros y bwrdd . . . yn gweld gwyrdd a glas a gwydrau bach y glaw ac yn golchi fy llygaid yn sglein y munudau sydyn hynny pan edrychodd y ferch welw, fain arna i a dweud nad oedd ganddi ddim ofn . . .

'Dau goffi?'

Dau air. Dwy gwpan mewn dwy soser a dau enaid yn cylchu'i gilydd yn sŵn sgwrs pobol eraill. Fedrwn i wrando ar ddim ond ar ymddiddan y lleisiau yn fy mhen, ail-fyw gynnau i gyfeiliant lleddf hen alaw. Pe bawn i'n gymeriad mewn stori dyma'r adeg y byddwn i wedi'i dewis i gerdded allan, dilyn y ferch drwy'r dorf a gadael Glenys yn syllu'n gegrwth ar fy ôl. Llosgais fy ngheg wrth lowcio'r coffi chwilboeth a theimlo'n od o ddig oherwydd y boen; roeddwn i wedi bod yn gogor-droi ers meitin ar gyrion breuddwyd a rŵan fedrwn i ddim caniatáu i mi fy hun fynd i mewn iddi — does yna ddim byd i fod i frifo mewn breuddwyd. Petawn i mewn stori, wel, peth arall fyddai hynny, ond doedd hon ddim yn stori chwaith. Fi oeddwn i, mewn caffi hefo'r wraig yn yfed paned rhy boeth. Roedd pob symudiad, pob ystum, y geiriau, y synau — y cyfan a glywn ac a welwn — yn crogi mewn gwagle a minnau'n ceisio fy nghadw fy hun ar wahân trwy wau gwe amddiffynnol o gwmpas fy meddyliau. Cerddodd criw o bobol heibio i'n bwrdd ni. Gadawodd y merched chwaon eu persawr ar eu holau wrth basio; gwisgai'r ieuengaf ohonynt ffrog haf olau at ei fferau — yr un math o ffrog . . . y gwallt yn hir . . . ond doedd hi ddim mor dal, mor fain, mor dryloyw dlws . . .

'Dan ni'n dal i fyw yng Nghae Aur, wyddoch chi. Fyddwch chi'n dŵad ar hyd y ffordd honno weithia' . . .? Cofiwch alw rhyw bryd . . .'

Dyna ddywedodd o. Cyn i'r pnawn eu llyncu. Cae Aur . . . dal i fyw yng Nghae Aur . . . fyddwch chi'n dŵad ar hyd y ffordd honno . . . fyddwch chi . . .? . . . ddowch chi . . .? Roedd ei eiriau'n cymell, fel fory a thrannoeth a thrennydd a thradwy, yn codi'n wyn yn ôl ei throed hithau. Yn gadael llwybr o un freuddwyd i'r llall. Edrychodd hi arna i dros ei hysgwydd yn swil. Trodd yntau a'i gweld hi'n oedi, yn gadael gwên ansicr ar ei hôl fel plentyn yn ailfeddwl ynglŷn â throi am adref. Estynnodd ei law iddi.

'Tyrd rŵan, Gwyneth.'

A finnau'n cofio. Gwres hen haul yn hollti a chyffur y gwyddfid yn y gwrych. Y ferch â'r geiriau'n goferu o'i llygaid hi fel golau dydd trwy liain les. Y ferch a welodd liwiau'r glaw a'i henw hi'n gweddu i'w gwên.

Stafell Braf

Mae hi'n stafell braf. Eang a gwyn a chynnes. Yn cael yr haul i gyd ben bore, a hwnnw'n hel ei ddwylo'n hy' hyd y cadeiriau, yn mwytho'u gwacter lle bu meddyliau'n chwalu.

Dydyn nhw ddim i gyd yn hoff o'r haul. Mae rhai ohonyn nhw'n gwasgu'u hwynebau'n biwis rhagddo nes bod eu llygaid yn diflannu. Gwneud sbort am eu pennau nhw mae o, ac maen nhw'n gwybod hynny'n iawn, yn cymryd arnyn nad ydyn nhw'n ei wylio wrth iddo dynhau cylymau eu hieuenctid coll a'u crogi'n felyn ar hyd y parwydydd.

Mae ias y barrug ynddi hi. Petaen nhw wedi caniatáu i Garmon Parry fynd allan i'r bore byddai wedi'i deimlo fo'n llaith ar ei wegil. Ond hyd yn oed trwy wydr mae'r melancoli tlws ac ogla'r haf ar ei fysedd yn ei atgoffa sut i wylo. Oerni'r bore cyntaf sy'n gafael, meddan nhw, pan fo dyn wedi mynd yn hen. Felly mae o'n eistedd yn y gwres-gwneud a'i ddwy law ar ei liniau. Mae o'n gefnsyth o'i oed, a'i wyneb main yn ddi-ildio fel wyneb craig.

Mae cymylau newydd yn gwthio i'r llun sy'n llenwi ffrâm y ffenest. Dydi o ddim yn gwybod pam mae'n rhaid i'r awyr symud o hyd. Newid ei lle. Newid ei lliw. Mae blerwch y cwmwl yn tarfu arno, fel petai clustog wedi rhwygo yn ei feddwl. Sut medar o gasglu'r darnau yn ôl at ei gilydd? Maen nhw'n frau fel meddyliau, yn mynnu llithro trwy'i ddwylo fo heb gymaint â gadael ôl. Clyfar ydyn nhw. Cyfrwys. Fel petha' byw. Chwyddo . . . chwalu . . . ac yno o hyd . . .

'Mi fyddan nhw yma cyn bo hir, gewch chi weld.'

Mae hon yn gwisgo ffrog las 'run fath â'r lleill ac yn gwybod mai Garmon ydi'i enw fo. Mae hi fel petai hi'n ei nabod o, yn nabod y fan hyn. Fel petai hi wedi hen arfer yn y lle 'ma. Ond welodd o erioed mo hon yn ei fywyd o'r blaen, er ei bod hi'n debyg i rywun yn rhywle'n bell yn ei ben. Lle felly oedd hwn, yn llawn o bobol wahanol yn edrych 'run ffunud â'i gilydd. Pawb â'i wên yr un hyd a'r un lled. Dwylo'n clirio, lleisiau'n cario . . .

'Dowch rŵan, Garmon. Slipars am eich traed . . .'

'Da iawn! Plât glân heddiw . . .'

'Rŵan, ta, Garmon Parry, llwyaid bach, bach . . . 'mond i 'mhlesio i . . ?'

Lleisiau'r garreg ateb ydyn nhw. Da 'ngwas i . . . fab annwyl dy fam . . . llwyaid o ffisig a llwyaid o jam . . . Mae ddoe'n glir fel agor llyfr lle mae'r llythrennau'n fras. Gwêl ddwylo'i fam yn feddal rhwng y llinellau ac mae o'n lecio cynhesu'i gof ar ogla melys cynfasau'n eirio. Bu rhywun arall. Cofia bersawr ei gwallt yn erbyn ei foch. Nid ei fam ydi hon. Mae hi yna, yn ei ben; rhyw lun brau, yn estyn ei breichiau . . .

'Mi fyddan nhw yma toc.'

Dydi o ddim yn rhoi unrhyw arwydd ei fod o wedi deall a dydi'r nyrs ddim yn disgwyl ymateb. Mae lliw glas, prysur ei gwisg yn oer yn erbyn ei lygaid. Mae'i sgwrs hi mor famol. Bob tro'r un fath. Swcro. Perswadio.

Symlrwydd ei geirfa'n suo drosto. Mae o'n gwybod bod geiriau hirach na'i rhai hi yn bod. Maen nhw mor agos weithiau nes ei fod o'n teimlo sglein eu llygaid arno. Mae o'n 'sgota amdanyn nhw ym mhwll ei ymennydd lle mae'r dŵr yn ddu — synau serog, sydyn a chyllyll bach eu cynffonnau'n aflonydd yn ei gof yn herio, pigo, pryfocio. Damia nhw. Cymryd mantais maen nhw rŵan. Ei blagio ac yntau'n blino . . .

'Dyna ni, Garmon — gymrwch chi'r garthen 'ma dros eich glin? Hen fore digon oer allan yn fanna . . . 'na fo — wel, wir, 'dach chi'n bihafio'n dda i mi heddiw . . .'

'Methu . . . methu'n glir . . .'

'Sut dudoch chi rŵan?'

'Methu'u dal nhw . . '

'Dal pwy, rŵan, Garmon bach?'

'Wel, yr hen bysgod 'ma, te?' meddai a chodi'i lygaid.

'Siŵr iawn.' Mae hi wedi hen arfer, yn tynnu sŵn ei geiriau dros ei ben.

'Ma'n nhw'n llithro trwy 'nwylo fi . . . yn gynffonna' i gyd . . .' Ac fe deimla'r hen ŵr cefnsyth yr hiraeth yn cau'n wyn dros ei olwg o.

'Eich ll'gada chi'n dyfrio rhyw fymryn bore 'ma — ddudish i ei bod hi'n oerach, yn do? 'Rhoswch funud . . .'

Mae'r ffunen fach bapur yn boenus o ysgafn hyd esgyrn ei fochau . . .

'Dowch rŵan, does dim isio i chi styrbio, neno'r Tad! Dim ond sychu'ch ll'gada chi er mwyn i chi deimlo'n brafiach . . .'

Mae o'n casáu ei hymyrraeth dyner. Ei ddagrau o ydyn nhw.

* * *

'Ti'n dawel iawn.'

Mae hi'n llonydd hefyd, ac wedi cau ei breichiau'n dynn o'i chwmpas â golwg rynllyd arni.

'Dwi'n oer.'

Try yntau wresogydd y car yn uwch. Mae'r chwythwr-aer-poeth yn cosi godre'i gwallt a gwneud iddi fod isio gwenu. Ymhen ychydig mae hi'n llacio'i breichiau ac yn gorffwys ei gwegil yn erbyn cefn y sedd. Boreau fel hyn ydi'r rhai gorau un, rhai sgleiniog, ffres a'r paent heb sychu arnyn nhw. Yn sŵn rhu isel yr injan mae'i synhwyrau'n ymestyn, yn pantio'u cefnau, yn cyd-ganu-grwndi yn y gwres.

'Dwi'n boeth rŵan!'

'Blydi hel, Gwyneth!' Ac mae o'n gwyro yn ei flaen eto, yn dileu'r gwynt parod, poeth ag un symudiad. Ond roedd hi'n mwynhau hwnnw, yr anadlu a oedd mor ogleisiol o agos, mor ddigywilydd o hy', fel anifail mawr, tyner yn mentro ati.

'Pam wnest ti ddiffodd hwnna?'

'Chdi ddeudodd dy fod ti'n rhy boeth . . .'

'Naddo.'

'Wel, do. Ti newydd ddeud!'

'Ddeudish i ddim 'mod i'n *rhy* boeth . . .'

'Be' . . !'

'Jyst poeth. Poeth braf. Doeddwn i ddim yn *rhy* boeth . . .'

'Arglwydd Iesu . . .'

'Paid â rhegi. Ti ddim i fod i regi.'

'Tydw i ddim . . .'

'Wyt. Ti'n rhegi. Ac mi wyt ti'n g'lwyddog.' Does ganddi mo'i ofn o ac mae o'n gwybod hynny. Wnaiff o byth wylltio go iawn. Hyd yn oed pan oedden nhw'n blant roedd o fel petai o wedi dysgu colli'i dymer yn ofalus rhag ei brifo hi. Does yna ddim wedi newid. Dim ond y fo sydd wedi heneiddio. Mae ei phlentyndod hi ganddi o hyd, yn gorwedd ynghudd yn ei phen hi fel gem fach ddisglair, brin.

'Rhegi. C'lwyddog. A blin.' Deil arno. 'Ti'n flin hefyd.'

Mae o'n gadael i'w geiriau ddisgyn i su'r injan.

'Mi wyt ti'n flin bob tro 'dan ni'n mynd i edrach am Dad.'

Dydi o ddim yn ymateb. Mae hi newydd flingo'i synhwyrau o â'i geiriau syml: fydd hi ddim yn hir; does 'na fawr o ffordd i fynd eto. Ond mae o'n arogli'r lle'n barod — gormod o henaint dan un to a'r waliau'n rhy wyn, rhy sgwâr. Bob tro mae o'n mynd i mewn trwy'r drysau newydd mae o'n gorfod cyfaddef ei fethiant. Sawl gwaith y bu iddo geisio cyfiawnhau'r cyfan iddo ef ei hun? Cofia eto eiriau anogol doctoriaid a gweithwyr cymdeithasol nad oedden nhw'n lleddfu'r un dim ar ei gydwybod:

''Dach chi'n gwneud y peth iawn, Mr Parry . . .'

'Mi geith eich tad y gofal arbenigol mae arno'i angen . . .'

Felly dyma nhw'n ei gymryd o i'w 'molchi a'i fwydo hefo llwy am fod ei feddwl o'n fylchau i gyd fel hen jig-sô. Ac am na fedar o ddim cofio sut i gofio, maen nhw'n ei ganmol o am agor ei geg yn fawr a llyncu'i fwyd yn daclus, yn gwasgu'i rwystredigaeth o'r cadach 'molchi ac yn ei daflu hefo'r dŵr.

Mi awgrymon nhw bryd hynny y dylai Gwyneth gael gofal hefyd. Mynd i aros i rywle am gyfnod bach, rŵan ac yn y man. Iddo fo gael hoe fach. Onid oedd y cyfrifoldeb o edrych ar ôl ei chwaer hefyd yn mynd i ddweud arno yntau yn y tymor hir? Gwrthododd Dafydd ar ei ben. Byth bythoedd. Fyddai o byth hyd yn oed yn ystyried y peth. Peidiodd eu swnian. Dim ond trio gwneud eu gwaith oedden nhw. Cofia yntau'r dadleuon i gyd bob tro y daw i gyffiniau'r adeilad gwyn lle maen nhw'n ceisio mygu'r arogleuon-ysbyty hefo ogla polish a phetalau sychion mewn dysglau; ond mae yna ormod o flodau mewn gormod o fasys yn marw heb i neb sylwi a gormod o ddieithriaid mud mewn cadeiriau i dwyllo neb bod hwn yn gartref go iawn. Cysura Dafydd ei hun nad yw ei dad yn gwybod lle mae o p'run bynnag. Ond mi fasai Gwyneth yn gwybod pe bai hi'n cael ei hanfon i ffwrdd. Yn gwybod lle'r oedd hi ond yn methu deall pam. Na, wnâi o mo hynny i Gwyneth. Nid y hi oedd wedi newid. Yr un fu hi, a'r un fyddai hi. Nid fel ei dad, yn dieithrio wrth yr awr a'i lygaid yn gwagio'n araf fel pwcedi â thyllau ynddynt. Feddyliodd o erioed am Gwyneth fel baich. Ei chwaer fach o ydi hi. Fydd hi. Ei chwmni hi ydi'r cwmni mwyaf naturiol yn y byd. Mae hi yno o hyd, yn cadw'i fywyd o'n wastad.

Cofia fel ddoe pan aethon nhw â fo i'r cartref. Gwyneth yn eistedd hefo'i thad yn nhu ôl y car ac yntau'n gafael yn dynn yn ei llaw am na allai gofio'i henw hi. Cofia'r dychwelyd, yn ddau yn lle tri, a'r cymysgedd o euogrwydd a gollyngdod yn glymau yn ei ben. A chofia'r trannoeth glân, yn llawn ogla golchi a swigod sebon, a hithau'n cymryd arni nad oedd hi wedi crio. Diwrnod sychu . . .

* * *

Roedd o'n dal y fasged iddi — a hithau'n brysur, ymarferol, yn cadw'i thad o'i chwmpas wrth lenwi'r lein â'i ddillad o.

'Pryd fyddan ni'n nôl Dad adra, Deio?' O achos roedd o wedi dod adref o bob man erioed. 'Ella bydd o'n ôl cyn i mi gael cyfle i fynd â phyjamas glân iddo fo.'

'Go brin, 'sti, 'mechan i. Mae o angen amser i fendio.'

'Mi wneith o fendio felly?'

Roedd yr amheuaeth sydyn yn ei llais hi yn rhoi iddi ryw aeddfedrwydd twyllodrus; roedd hi fel petai hi'n methu dal ei gafael ynddo'n ddigon hir. Chwaraeai ei meddwl o gwmpas ei hofnau i gyd heb wybod sut i'w cyffwrdd, fel fflam mewn drafft.

'Siŵr o fod.' Ei ateb yntau'n dod yn rhy hwyr i fod yn perthyn i'w chwestiwn. A hithau, heb sylwi, yn bwrw yn ei blaen:

'Mi ddaw o adra pan fyddan nhw wedi sgwennu enwau pethau'n ôl yn ei ben o.'

Roedd yr awyr ei hun fel lliain wedi'i roi allan i sychu. Pasiodd haid o ddridws yn fudur ar ei thraws, a thameidiau eu hadenydd fel pytiau o sgwennu-sownd. Yn eu pellter-lliw-inc gwelodd Dafydd ddarnau o'i gyffes ei hun lle'r oedd y dydd wedi eu dal nhw a'i herio i'w darllen.

O dipyn i beth, daeth Gwyneth i arfer heb ei thad yn y tŷ. Tybiai Dafydd ei bod wedi hanner-sylweddoli na fyddai'n dod adref eto i fyw atyn nhw. Fe'i gwyliai'n pydru'n dawedog drwy'i theimladau. Yn ei meddwl-plentyn roedd ei thad wedi'i gadael a digiodd wrtho. Gwrthodai siarad pan aethon nhw i edrych amdano. Bu'n bwdlyd a thrist. Cyfnod oedd hwnnw, ac fe aeth heibio.

Fel plentyn daeth i ddygymod a dychwelodd ei sirioldeb. Roedd ei gobaith diniwed yn ei chynnal unwaith eto a'r dyfodol yn rhywbeth amhendant a phell, yn hofran yn hudol rhwng rŵan a byth. A rhyw ddiwrnod, rhyw yfory neu'i gilydd yng nghanol hynny i gyd, pan fyddai'r haul yn grwn a llawn fel bochau plentyn, fe ddeuai ei thad yn ôl.

★ ★ ★

'Sori, Gwyn.' Edrycha arno. Fynta'n edrych ar y lôn. Yn teimlo'i llygaid. Yn llywio trwyn y car rhwng y giatiau gwynion. 'Sori 'mod i'n bigog. 'Mod i'n flin. A doeddwn i ddim wedi bwriadu rhegi hefo ti . . .'

'Ffyc off!'

'Be' ddudist ti?'

'Dyna ydi rhegi, te? Rhegi go iawn. Wnest ti ddim rhegi'n hyll fel 'na, naddo, Dei? Felly mae'n iawn. Mi wna i faddau i ti tro yma!' Gŵyr ei fod yn syfrdan ac mae'n gwenu heb symud ei gwefusau, yn mwynhau effaith ei direidi.

'Hogan ofnadwy wyt ti, Gwyneth!'

Am eiliadau'n unig, teimla Dafydd ei bod hi cyn hyned â'i hoed, a hiraetha.

★ ★ ★

Ystafell wen ydi hon . . . wen . . . wen . . . gafr wen, wen, wen, ie, feinwen, feinwen, feinwen . . . cath wen o gwmwl yn cyrlio'n dynn ar erchwyn ei gof . . . erchwyn ei wely . . . cynfas wen, coban wen a'i gwallt hithau'n llonydd a llyfn hyd ei chefn fel wyneb llyn dan loergan — wen, wen, wen — ie, feinwen . . .

Maen nhw wedi arfer â'r pellter, y peidio adnabod. Ond heddiw sylla'n syn ar Gwyneth. Mae'i ffrog hir, wen hi wedi deffro rhywbeth yn ei lygaid o, ac mae'n estyn ei law a'i galw wrth enw'i mam.

'Bet, lle buost ti mor hir?'

'Naci, Dad. Fi sy' 'ma.' A thry Dafydd ei gefn ar y cyfan a dal ei ên yn dynn. 'Gwyneth sy' 'ma, Dad.'

Does ar Dafydd ddim isio sbio ar ei dad. Ffieiddia'n awr at byllau ei lygaid gweigion heb gywilyddio dim o achos bod y siom yn wyneb Gwyneth wedi aros yn rhy hir; mae hi fel pe bai'i thristwch wedi'i ddal yno am byth, fel mewn arbrawf cynnar ar ganfas prentis o arlunydd a'r llygaid yn rhy lonydd. Mae'r diawl lle 'ma'n codi'r felan arno — y stafell 'ma sy'n rhy wyn lle mae'r haul yn llifo'r waliau'n glwy' melyn i gyd. Does arno ddim isio sbio i wynebau'r un o'r lleill chwaith, yr wynebau sy'n hofran yn bŵl uwch ben lliw pridd eu siwmperi a'u carthenni. Brown a llwyd a gwyrdd-heb-enaid-ynddo; meddylia am fynwentydd a chen hyd wynebau cerrig. Mae yna un hen wreigan mewn cardigan rhy binc yn mynnu gwthio'i ffordd i gornel ei lygad o, yn treisio undonedd mwsoglyd popeth fel hen bapur-peth-da wedi disgyn i farddwr pwll hwyaid. Gwêl ei gyfrifoldeb yn cau'n denau amdano'n llinynnau llwyd a'i chwaer ddiniwed, dlos yn penlinio'n ddisgwylgar o flaen y tad nad yw'n ei hadnabod. Mae o'n mynd i ddwyn yr eiliadau hyn er mwyn tosturio wrtho ef ei hun nes i lais Garmon Parry gau llif ei feddwl fel ebychnod sydyn . . .

'Gwyneth?' Mae'i henw hi'n gwestiwn, yn ddamwain o air sydd newydd ddisgyn dros ymyl ei wefus o. 'Gwyneth . . . ia, debyg . . .'

Mae sŵn y gair yn cosi ymylon ei synhwyrau — rhuban gwallt mewn awel . . . coch . . . ffrog fach goch . . . a ffrilen . . . ogla'r môr a hufen iâ, cynffon barcud yn clecian yn feddal . . . Saif rhywbeth rhyngddo a'r cofio. Sylla drachefn i gyrbibion o awyr sy'n dal i'w bryfocio.

Edrycha Gwyneth i fyny'n syn fel petai'n chwilio â'i llygaid am ei lais. Ceisia ddarllen ei synfyfyrion fel ers talwm a dilyn ei olygon i fyny fry. Mae cymylau yn ei lygaid o hefyd. Ac yn sydyn, fel ers talwm, try ati a gollwng ei feddwl iddi. Mae'n iawn iddi ofyn rŵan:

'Be' sy 'na? I fyny'n fan'na? Be' ti'n weld yn yr awyr heddiw, Dad?'

'Pob matha' o betha',' medd yntau. 'Cega' dreigia'n mygu dros yr awyr i gyd!'

Mae'r ferch fach ynddi'n wrid o gyffro sydyn.

'Ydyn nhw'n siarad, Dad? Ydyn nhw? Be' maen nhw'n ddeud . . ?'

'Pwy?'

'Y dreigia' 'na!'

Mae hi fel pe na bai yno ffenest, fel pe na bai chwarel wydr yn oer rhyngddyn nhw a'r byd. Mae o'n gafael yn ei llaw hi rŵan. Afaelodd o ddim yn ei llaw hi ers amser maith. Na siarad hefo hi chwaith. Ond does dim ots. Mae hi wedi hen anghofio hynny'n barod, ac yn cofio'r pethau braf, cofio pan oedd o'n tynnu storïau iddi o dan groen pob dim a brethyn ei gôt yn arw yn erbyn ei boch.

'Weli di'r hen ddraig fawr 'na — honna . . . pen yma . . .'

' . . . a'i bocha' hi'n barod i chwythu!'

'Ia, 'na chdi. Honna 'di'r feistres ar y lleill i gyd . . .'

'Y rhai bach 'na . . .'

'Am eu bod nhw'n chwara' gormod, chwipio'u cynffonna', chwythu cyfrinacha' i glustiau'i gilydd.'

Sylla Dafydd. Ni wêl ond awyr gymylog. Saif yno ar gyrion eu byd-hud-a-lledrith â'i ddwylo yn ei bocedi. Drwy'r ffenest o'i flaen mae dreif darmac yn ymestyn yn daclus at y giatiau ac ambell ddeilen a grinodd yn rhy gynnar yn plorynna'i hwyneb hi. Ni all weld y giatiau o'r fan hyn.

'Mi fydd yn rhaid i ni ei throi hi am adra'n o fuan rŵan.'

Mae hynny'n ei boeni. Y daith adref o'r fan hyn. Dychmyga fel bydd sgwrs Gwyneth yn llawn o'i thad a'i gobeithion yn barcuta o'i blaen hi. Mae'i llygaid hi'n troi ato ond am unwaith fedar o mo'u darllen nhw.

'Mi fydd o'n blino, 'sti, Gwyn.'

Mae hi'n codi oddi ar ei gliniau'n araf, yn llyfnu'i ffrog hefo'i dwylo ac yn edrych arno'n chwithig.

'Mae o wedi cael diwrnod da heddiw!' Mae'r nyrs yno'n hofran, yn barod i gymryd yr awenau'n ôl, ac mae'r awyr o gwmpas ffroenau Dafydd yn trymhau ag ogla cinio.

'Gwyneth a'i thad wedi cael dipyn o sgwrs y tro yma, Mr Parry!'

'Ydyn.' Go brin y cofith Garmon ymhen yr awr iddyn nhw fod yno o gwbl. Does dim rhaid iddo atgoffa'r nyrs landeg 'ma o hynny. Mae cyflwr ei dad yn gwneud sbort am eu pennau nhw i gyd. Peth felly ydi o. Hen salwch chwim-chwam yn troi'r meddwl ar ei wyneb er mwyn sgwennu'i gân ei hun ar ei gefn o.

'Tyrd, Gwyneth. Mi awn ni rŵan . . .'

Try hithau'n ufudd i'w ddilyn. Mae o'n syn, anesmwyth, yn sylwi sut mae'i llygaid hi'n beirniadu'r brys yn ei lais.

'Aros, Deio. Dwi wedi anghofio . . .'

Yn sydyn a swil rhy gusan ar foch ei thad:

'Diolch am y stori, Dad.'

Mae wyneb Garmon Parry'n llonyddu'n barod, fel petai'i synhwyrau'n fferru drachefn, yn araf, fesul un ac un.

'Dechra' blino mae o . . .' Mae tinc ymddiheurol yn llais y nyrs a theimla Dafydd gyffyrddiad llaw Gwyneth ar ei fraich.

'Ydan ni'n barod i fynd rŵan, Deio?'

Mae llygaid eu tad ar grwydr bellach, yn dilyn y cysgodion sy'n britho'r parwydydd. Ond nid yw Gwyneth yn edrych yn ôl. Gwadnau meddal sydd ganddi o dan ei hesgidiau. Maen nhw'n gwichian yn ddoniol wrth i'r ddau ohonyn nhw gerdded ar draws y llawr coed llyfn at ddrws y ffrynt.

'Moch bach wrth y tethi!' medd hi. Mae'i sybrydiad uchel yn cosi'i glust o, yn peri i'r ddau fod isio chwerthin. Ond does fiw gwneud hynny. Nid yma. Nid nes bod y drws trwm wedi cau y tu ôl iddyn nhw.

'Chdi a dy foch bach!'

'Dad fydda'n deud hynny! Ti'n cofio? Pan fydda fo'n cael sgidia' newydd . . .'

Dydyn nhw ddim yn chwerthin wedi'r cwbwl.

'Mae o'n hapus yma, 'sti.' Mae hi fel tae hi newydd benderfynu hynny ohoni ei hun. 'Fasa fo byth wedi gallu deud stori wrtha i oni bai'i fod o'n hapus.'

Nid ei le fo ydi ateb rŵan. Mae o am iddi hi gael y gair ola'. Hi sydd i ddweud. Neb arall.

'Mae o'n lecio'r stafell 'na. Yn lecio cael ista yn 'i gadair o'i hun. Lwcus bod o wedi mynd â hi yno hefo fo, te,

Dei? Lwcus bod nhw wedi'i gosod hi reit yn y ffenast fawr 'na iddo fo gael edrach allan . . .' Mae hi'n pwyllo, gwyro'i phen fel pe bai hi'n gwrando am eco'i geiriau'i hun. 'Dw inna'n meddwl ei bod hi'n stafell reit braf hefyd.'

Eang a gwyn a chynnes. Yn cael yr haul i gyd ben bore.

Dim ond newydd sylweddoli y mae Dafydd iddo frathu'i wefus yn galed, galed. Gall flasu'r gwaed. Blas dŵr-halen a hiraeth. Blas deigryn.

'Ydi, Gwyneth fach. Ti'n iawn. Mae hi'n stafell braf.'

Penyd

Haul crwn oedd o, fel platiad o rew. Ni allai grio. Gwres oer, gwyn — yn llym, yn pigo'i llygaid hi. Ond ni allai grio.

Dwi wedi cysgu hefo hi, Glen. Dyna ddywedodd o. A'i galw hithau'n Glen fel petai dim byd yn bod. Nid Glenys. Pam nad Glenys? Ei henw'n llawn ac oer fel yr haul. Dwi wedi cysgu hefo hi, Glenys. Byddai hynny wedi swnio'n well. Yn byddai? Oni fyddai o? Dwi wedi cysgu hefo hi, Glenys. Gosod y pellter. Gosod y ffiniau. Ond fe'i galwodd hi'n Glen. Fel erioed. Ers erioed. Ers pan fuon nhw'n gariadon a'i gwallt hithau'n dywyll hefyd, yn ddigon hir iddi fedru ei godi ar dop ei phen . . .

Dwi'n dy garu di, Glen.

Dwyt ti ddim am ddweud rhywbeth? Dywed rywbeth, Glen. Wnaeth hi ddim dewis bod yn fud. Fel yna y digwyddodd hi. Ddôi'r geiriau ddim. Roedden nhw wedi fferru y tu mewn i'w meddyliau hi. Pan edrychodd arno roedd ei lygaid o'n llawn, yn sbio i lawr i gyfeiriad ei ddwylo. Fe'i gwnâi hi'n hawdd iddi fedru syllu arno. Roedd ei ysgwyddau'n drymion, a'r tyndra fel edau lwyd trwy'r cyhyrau bychain oedd dan groen ei wyneb.

Roedd o wedi torri ond edrychai'n gyflawn, fel tegantroi'r-goriad wedi'i ddatgymalu a'i roi'n ôl at ei gilydd ar frys. Roedd rhywbeth anweledig, rhyw ddarn bychan pwysig y tu mewn iddo, wedi mynd ar goll.

'Ma' gen i bechod drosot ti, bron,' meddai hi.

Chododd o mo'i lygaid. Symudodd o ddim. Roedd hi bron fel pe na bai wedi'i chlywed hi. Ac roedd ei fudandod yn oer, yn corffi'n las o flaen ei llygaid hi fel y sgwariau bychain, llym ym mhatrwm ei grys o.

'Deud rwbath, ta, Ifor,' meddai hi wedyn. Roedd ei llais ganddi o hyd, ond heb sbeit, heb sŵn. Byddai'n well ganddo fo petai hi fel arall — pe bai llymder ar hyd ei thafod i'w ll'nau o'n lân. Roedd arno angen dioddef, gwneud penyd. Gwyddai hi hynny. Gallai adnabod hynny ynddo. Ond roedd y meddalwch 'ma'n ei meddiannu a'r goddefgarwch annisgwyl yn fwy na hi, yn ei dychryn a'i dieithrio oddi wrthi hi ei hun. Oni fyddai hi wedi bod yn haws iddi hithau pe bai hi wedi gallu ceryddu? Croesholi. Casáu.

'Dwi ddim yn disgwyl i ti faddau i mi, Glen.'

Roedd yr ystafell yn llawn o gysgodion. Teimlai hithau'n ymwybodol o'i chardigan flêr a'r hen slipars am ei thraed. Y pethau-bob-dydd na fu ots amdanyn nhw erioed.

'Ma' hi'n hogan dlws ryfeddol, tydi.' Nid gofyn iddo yr oedd hi. Dyna oedd ar ei meddwl hi. Yn ei meddwl hi. Ifor yn caru Gwyneth Cae Aur a honno'n ei glymu yn ei gwên. Roedd o wedi trochi'i fysedd yn nhywyllwch ei gwallt hi, wedi gwylio'i llygaid hi'n llenwi â sêr.

Wedi rhoi ei dynerwch iddi . .

Glen, be' am inni briodi? . . .

'Mi rown i rwbath am i betha' gael bod fel oeddan nhw.'

'Fyddan nhw byth fel oeddan nhw,' meddai hithau. Rhywsut doedd dim digon o hiraeth yn ei llais hi.

Ond ganddo fo roedd yr ateb. Roedd arni eisiau dweud hynny wrtho. Fo oedd wedi troi oddi wrthi hi a'i lygaid yn bell. Crogai ei gwestiwn yn wyn uwch eu pennau fel bylb golau noeth. Dim ond nad oedd golau. Roedd popeth yn yr ystafell yn sugno'r tywyllwch a hwnnw'n lledaenu a gafael, fel tamprwydd. Gwelodd ei bod hi'n oer.

'Mi wna' i banad i ni, ia?'

Derbyniodd ei gynnig drwy godi'i hwyneb tuag ato. Roedd ei eiriau yntau hefyd wedi sychu ar ei dafod o. Eisteddodd hi o hyd, yn gyndyn o godi a rhoi'r golau ymlaen. Sylwodd o pa mor ddisymud oedd hi ac estynnodd ei law i gyffwrdd y swits.

'Na, paid.' Rhewodd yntau. Synhwyrodd ei ansicrwydd a meddalodd ei llais fel nad oedd dim ar ôl ond sibrydiad, ymbil pathetig yn lle'r llifeiriant chwerw y dyheasai ef amdano. 'Gad iddo fo am dipyn eto.'

Roedd hi am wasgu'r diferion ola' o weddillion y p'nawn. Gwelodd bod y golau gwyn wedi dadmer dros ymyl popeth erbyn hyn. Rŵan roedd yr awyr fel plât gwag, yn graciau mân i gyd.

Nid awyr Nadolig mohoni chwaith. Rhagfyr oedd hi, dyna i gyd. Tynnwyd ei llygaid er ei gwaethaf at y bocs trimins hanner-caeëdig yn y gornel rhwng y ffenest a'r lle tân. Winciai'r cynhinion tinselog arni fel trysor cudd. Oni bai am yr wyrion, fydden nhw ddim yn trafferthu i addurno'r tŷ. Ar gyfer y rhai bach oedd y cyfan. Dim ond ers geni Gwion a Huw y daeth y tinsel yn ei ôl;

prynwyd pelenni bach aur a chanhwyllau Siôn Corn a chofiwyd drachefn sut i ddathlu, pe na bai hynny'n ddim ond unwaith y flwyddyn. Doedd dim ots bod yr hud yn darfod y munud y clywid y car yn tanio ac yn tynnu oddi wrth y tŷ.

Bu'n hoff o'r Nadolig erioed. Fe'i swynid, dro ar ôl tro, gan garolau digyfeiliant ar noson oer a'r angar yn powlio'n dryloyw o gegau pobol. A phan gafodd Gwenno'i geni ar noswyl Nadolig roedd perffeithrwydd y cyfan wedi codi ofn arni. Cofiai Ifor a'i lygaid yn llaith ac roedd lleisiau pawb fel twrw clychau. Ifor yn gwirioni'i ben. A Gwenno liw'r gwawn yn ei siôl fach wen . . .

Mae gen i gymaint o feddwl ohonot ti, Glen.

'Pryd maen nhw'n cyrraedd, ta?'

Welodd hi mohono fo'n dod yn ei ôl. Roedd hi'n penlinio o flaen y bocs.

'Pwy?' Gair gwag. Fe wyddai hi pwy. Pwy arall oedd 'na?

'Yr hogia'.'

'Dydd Sul.'

'Rhaid i mi gofio cael y goeden . . .'

Trodd ato. Roedd o wedi colli te yn y soseri.

'Bydd.' Ac ochneidiodd. Roedd cyffredinedd gwâr eu sgwrs yn ei llethu.

'Ti'n cofio'r 'Dolig hwnnw pan oedd Gwenno'n dair? Pan gafodd hi goits fach a babi dol . . .'

Syllodd hithau arno. Roedd o'n edrych ar y bocs 'Dolig fel pe bai'n ceisio cymell yr atgofion ohono.

'Dwyflwydd oedd hi.'

'Be' . . ?'

'Nid tair. Mi gafodd feic pan oedd hi'n dair . . .'

'Un coch a melyn.'

'Hefo cloch a basged.'

'Yn y fasged honno y buo hi'n cario'r ddol wedyn.' Cyfarfu eu llygaid. Roedd hi'n falch ei fod o'n cofio'r pethau bychain.

'Mi gafodd godwm, ti'n cofio?'

'Y llwybr yn wlyb.'

'Mi ges i goblyn o fraw, ei gweld hi'n gweiddi crio. Meddwl ei bod hi wedi brifo'n ofnadwy.'

'Ac erbyn dallt, poeni am y ddol yn cael codwm o'r fasged oedd hi!'

'Mi oedd hi'n gwisgo'i chôt fach binc . . .'

Ar hynny y torrodd ei llais hi. Roedd dagrau'n dew ynddo ond gwrthododd eu cysur a dal ei gên yn bigyn main. Bu tair blynedd ers y ddamwain; roedd y lôn yn wlyb y noson honno hefyd. Eisteddai'r blismones ifanc, dyner honno ar ymyl eu soffa nhw a'i dyletswydd yn tynnu'n wyn ar draws ei hwyneb hi. Y te'n oeri yng nghwpanau pawb i gyfeiliant y geiriau gofalus a llygaid Glenys yn diffodd yn eu sŵn.

'Ma'r plant yn gysur i ni rŵan. A Robin. 'Dan ni'n lwcus ohono fo . . . mae o cystal ag unrhyw fab . . .'

Roedd hi'n anniddig, yn disgwyl i'r hanner-brawddegau gorgyfarwydd hynny yr oedd o mor hoff ohonyn nhw ddarfod hefo'i lais o. Bu Gwenno mor debyg iddo yn ei ffordd, ac yntau mor barod i'w swcro; roedd y ddau ohonyn nhw'n trin bywyd fel gêm-i-blant-mawr, yn rhedeg rasys â'u breuddwydion tra oedd hi, Glenys, â'i thraed ar y ddaear, yn tynnu'r llwch yn ffyrnig a phwrpasol oddi ar wynebau'r dodrefn fel petai arni ofn bod yna hud ynddo fo.

'Toedd dim rhaid iddi fod allan ar y lôn y noson honno.' Roedd pob gair o'i heiddo'n toddi i'w chwerwedd bach ei hun; gallai flasu canol pob un — roedden nhw'n blingo ymylon ei thafod fel eirin perthi. 'Tasai hi heb fod ar berwyl drwg — heb fod yn twyllo'i gŵr . . .'

Ac yn yr hyn na ddywedodd hi wedyn y clywodd yntau ei chyhuddiad yn ei erbyn. Y distawrwydd oedd yn sgrechian arno: fel y bydd y tad y bydd y ferch. Ynteu fel y bu'r ferch y penderfynodd y tad fod wedyn; claddu realaeth o dan yr holl rwtsh ffansïol oedd yn gorwedd yn bentyrrau ar draws ei ddychymyg; osgoi du a gwyn y gwirionedd oherwydd bod lluniau lliw mewn breuddwyd.

'Thâl hi ddim rŵan i godi rhyw hen grachod . . .'

Edrychodd arno a chasáu'r gallu gwylaidd hwnnw oedd ganddo i dawelu'r dyfroedd.

'Ti'n iawn,' meddai wrtho. 'Pam codi hen grachod, a ninna' hefo rhai newydd sbon i'w pigo?'

Doedd o ddim am lyncu'r abwyd. Wnaeth o erioed ddim byd ond claddu'i ben yn ei anniddigrwydd ei hun a disgwyl i bob storm chwythu'i phlwc. Fedrai hi ddim goddef mwy o'i dawedogrwydd, ei droi-draw diymhongar, moesgar bron. Rhoddodd gic egr i'r bocs addurniadau nes iddo droi a chwydu'i gynnwys cordeddog o gwmpas ei thraed.

'Y bastad!' meddai. Roedd pefr peryglus wedi codi i'w llygaid. 'Bastad. Bastad. Bastad!' Bob tro roedd hi'n ei ddweud o roedd ei llais yn codi'n uwch a theimlai'r llafariaid llydan yn chwyddo i dop ei cheg hi. Teimlai'r pelenni bach aur yn clecian dan feddalwch ei slipars fel pe bai hi'n sathru chwilod.

Roedd o â'i gefn ati o hyd. Cadwai ei lygaid iddo ef ei hun.

'Wel, dywed rywbeth rŵan, ta, camp i ti. Dywed rywbeth. Y . . . bastad!'

Mynnai ei flas eto, y gair crwn, cyflym 'ma a ddisgynnai rhyngddyn nhw o hyd a ffrio fel tae hi'n poeri i fflam. Gwelodd y cryndod yn ffurfio'n gylchau ar hyd llinell ei ysgwyddau. Doedd hynny, ychwaith, ddim yn ddigon. Oedodd; hogi'i geiriau er mwyn tynnu gwaed:

'Dywed o, Ifor. Dywed ei henw hi. Gwyneth. Gwyneth. Gwyneth.' Roedd yna ysfa ynddi i adrodd pethau'n driphlyg; bu bron i hyn beri iddi chwerthin yn uchel. Llyncai'n galed yn erbyn y cynnwrf oedd yn berwi yn nhwll ei gwddw. 'Dwi am dy glywed di'n dweud ei henw hi. Dywed nad oes ots gen ti amdani rŵan. Dywed dy fod ti wedi anghofio pob dim am Gwyneth Cae Aur a'i ll'gada-hogan-bach!'

Roedd hi wedi dal arno, wedi colli arni ei hun. Nes trodd yntau a'i hwynebu. Llifodd y cyfan oddi wrthi fel gwythïen yn gwagio. Roedd hi wedi llwyddo, wedi agor ei friw; roedd hi'n adnabod ei wendidau fel y rhychau o dan ei llygaid ei hun. Ac fe wyddai ei fod o'n melltithio'r lluniau oedd yn cwafro rŵan trwy'i gof, dyfrlliw fel llygaid merch, ag ogla'r gwanwyn arnyn nhw. Y methu anghofio oedd yn rhwygo'i anadl o; dyma'i benyd, a'i buddugoliaeth hithau, debyg. Ond chafodd hi ddim boddhad o wybod hynny ac roedd hi'n rhy hwyr i'r un o'r ddau dynnu dim byd yn ôl. Sgleiniai ei lygaid fel cregyn gwlyb. Nid ei henw hi oedd ynddyn nhw.

Damia chdi, Gwyneth. Damia chdi unwaith am dynnu dy fysedd yn betrus drwy fy synhwyrau. Damia chdi am wneud i mi gofio sut i gyffwrdd. Mi wyt ti'n fregus, fregus fel fory yn fy mhen. Chdi yw fy hiraeth: lliw'r nos ar y llen . . .

Yn enw pwy mae fory, dywed, Glen?

Diwrnod haul-a-dagrau

Triciau hefo golau. Dyna'r cyfan oedden nhw. Bylbiau-lliw trwy bapur sidan. Rhyfeddodd Dafydd; mi oedd eu hud-gwneud bron yn dlws, fel llun rhad o fachlud haul a'i bincdod yn siomedig o goman wrth i'r llygad dynnu'n nes.

'Y tro cynta' i chi fod mewn stiwdio deledu, ia?'

Hogan fach glên. Ifanc. Rhy ifanc i fod mor hyderus. Cariai glip-bôrd. Roedd ei dillad yn wrywaidd o flêr amdani: crys llac dros ei jîns a phensil y tu ôl i'w chlust, fel saer coed. Eto i gyd, gweddai ei blerwch iddi a pheri iddo yntau deimlo'n fwy anghysurus y tu mewn i'w goler a'i dei. Roedd ei wefusau'n annaturiol o seimllyd a chroen ei wyneb yn dynn.

'Braf arnoch chi,' meddai'r ferch. 'Yn medru barddoni. 'Dach chi wedi cyhoeddi lot o gyfrola', 'lly?'

'Un neu ddwy.'

'Duw, do hefyd? Da, te?'

'Dach chi ddim yn meddwl bod yna gamgymeriad wedi bod yma?' meddai wrthi.

Gwenodd yn gyflym arno, yn ansicr am y tro cyntaf.

'Be' felly?'

'Wel, fi'n cael gwisgo'r "mêc-yp" a chitha heb ddim, yntê?'

Hen jôc wan oedd hi ond mi chwarddon nhw ill dau oherwydd bod ganddyn nhw ormod o amser ar eu dwylo.

'Mi ddaw rhywun atoch chi toc,' meddai hi wedyn. 'I ddeud wrthoch chi be'n union i'w wneud ac ati . . .'

'Fedrwch *chi* ddim gneud hynny?' Roedd o'n dechrau cymryd ati hi, at y swildod oedd yn dechrau sgleinio'n ddel o dan ei hyder hi.

'Na fedra, mae arna i ofn. Meicroffôns. Dyna 'ngwaith i, ylwch.' A chyda gwên fach ddireidus gorffennodd osod y weiren fach ddu yn daclus rhwng ei siaced a'i grys.

Peth rhyfedd oedd o, meddyliodd Dafydd. Yr agosrwydd-dros-dro rhwng dieithriaid oedd yn peri iddyn nhw ymddwyn fel hen ffrindiau. Esmwythodd y ferch goler ei gôt yn reddfol a dweud, cyn diflannu am byth:

'Dyna ni. Wedi gorffen. Hei lwc hefo'r rhaglen!'

Eiliadau. Dyna i gyd. Ond fe sylwodd ar aur ei chlustdlysau bychain rhwng lliw-ŷd cudynnau'i gwallt a chofio. Doedd edrych yn ôl ddim yn brifo bellach. Peidiodd y blynyddoedd â chwerthin am ei ben. Efallai mai dyna pam y meddyliai fwyfwy am Cadi'r dyddiau hyn. Mynd yn hŷn oedd o, ac onid oedd henaint yn lecio mwytho atgofion? Bu amser maith — Cadi'n bopeth ac yntau'n ifanc a byrbwyll. Mynnai ei charu o hyd yng nghefn ei feddwl lle cadwai'r pethau nad oedd modd i neb arall eu cyrraedd.

'Dafydd?' Cyflwynydd y rhaglen a'i groeso'n broffesiynol ddeallus. 'Meic Gwyn. Galwch fi'n Meic. Be' am i ni gymryd pum munud i fynd dros y sgwrs . . . y math o gwestiynau ac ati . . .' Ac estynnodd ei law.

Toddodd y goleuadau lliw i'w gilydd wrth i Dafydd eistedd yn eu gwres. Teimlai'n ddiamddiffyn, yno yn sgwaryn y golau a dim ond tywyllwch o'i flaen, yn dychmygu cynulleidfa a'u llygaid yn sgleinio fel rhesi o chwilod.

'Dach chi ddim yn nerfus, gobeithio? Unwaith y cawn ni fwrw iddi mi anghofiwch chi bopeth am gynulleidfa allan yn fanna. A pheidiwch â phoeni am gamgymeriada' — recordiad ydi hwn. Mi fedran ni dorri, golygu — dim problem!'

Tin-drodd Dafydd ar y soffa sgwâr. Roedd popeth yn sgwâr — y clustogau, y lampau, cynllun y set — popeth yn gwthio'i onglau llym i'w lygaid o. Gwrandawodd ar ei gyfarwyddiadau â'i geg yn sych.

' . . . a wedyn mi ddo i atoch chi'n ola', Dafydd. Rhyw feddwl y basan ni'n cychwyn hefo'r pethau amlwg — pam 'dach chi'n barddoni, sut 'dach chi'n mynd ati . . .'

Pam? Sut? Pa atebion oedd yna? Sut oedd egluro'r 'mynd ati' i neb? Egluro'r wefr. Deuai geiriau o hyd i gosi blaenau'i fysedd o. Weithiau, yn erbyn ei ewyllys, eisteddai wrth ei ddesg wedi gadael rhywbeth arall ar ei hanner er mwyn ufuddhau. Ymhen ychydig, byddai cyhyrau'i feddwl yn llacio. Wfft i dorri'r gwair, i orffen trwsio'r clo ar ddrws y cwt-allan. Yma'r oedd arno isio bod. Yma'n creu. Yn llenwi'r tudalennau gwyryfol â chynffonnau tlws ei gymhlethdod ei hun. Daliai ei bin sgrifennu'n dynn rhwng ei fawd a'i fynegfys nes bod rhigol bach wedi ffurfio yn erbyn yr hirfys, reit o dan ochr isa'i ewin. Roedd hi bron fel pe na bai ganddo bin, bron fel pe bai'r inc yn llifo trwy bennau'i fysedd o. Bron fel pe bai'n tywallt cynnwys ei wythiennau'i hun ar hyd y papur gwyn . . .

'Mi soniwn ni am y dylanwadau ar eich gwaith chi, wrth gwrs . . .'

Cododd Dafydd ei aeliau; roedd y rheiny hefyd yn drwm 'run fath â'i wefusau. Daliai Meic Gwyn i esbonio, i ddweud yr un peth mewn sawl ffordd a'i wyneb yn sirioli fwyfwy yn sŵn ei lais ei hun.

'Y pethau sydd wedi ysbrydoli'ch cerddi chi — profiadau, pobol. Eich chwaer, efallai. Mae gynnoch chi gerdd yma . . . perthynas brawd a chwaer. Eich chwaer chi, ia?'

Gwyneth. Ai am Gwyneth y sgrifennodd o? Dyna oedd ar bobol isio'i wybod. Ai hi oedd y ferch yn y gerdd, yn cuddio yn ei meddyliau lle nad oedd geiriau'n ei chyffwrdd? Gwyneth, ei chwaer fach dragwyddol. Roedd hi'n dawelach y dyddiau hyn, a'r plentyn ynghudd ynddi eisoes wedi gweld tu draw i'r hud ac yn blino'n gynt. Sylwai yntau rŵan bod ei llygaid hi wedi dysgu pellhau er mwyn ei adael o ar y cyrion weithiau. Ni allai ddygymod â hynny. Tarfai ei synfyfyrion hi arno mewn modd na allai mo'i egluro, mo'i ddirnad. Ofnai'r hyn nad oedd hi am ei rannu ag ef. Ofnai ddychmygu pa luniau yn ei phen hi oedd yn cribo'r dydd drwy ddyfrlliw'r llygaid 'na. Dei oedd hi'n ei alw fo bob amser rŵan. Dei. Nid Deio. Hiraethai Dafydd am yr 'o'. Ac un diwrnod, meddai hi wrtho:

'Lle mae Ifor rŵan, dywed, Dei? Mynd i ffwrdd ddaru o, te?'

Gorweddai'r prynhawn ar hyd y dodrefn yn dafelli tryloyw.

'Ia, 'sti, Gwyn.'

Roedd hi'n gosod ffarwel haf mewn jwg wydr ac yn oedi

fel glöyn byw wrth ben pob blodyn. Ac er bod ei hatgofion hi'n dlws fel cusanau ddywedodd hi mo'i enw fo byth wedyn.

'Does 'na byth ogla dim byd ar y rhain,' meddai hi toc. Ond edrychodd ar Dafydd wrth siarad. Roedd symlrwydd ei meddwl yn olau i gyd, yn uniaethu â'i golled yntau. 'Pawb yn mynd . . . neu'n marw. A ninnau'n dal yma. Anodd ydi hi, te, Dei? Byw heb bobol . . .' Anwesodd y petalau hirion, lliw-rhwd â blaenau'i bysedd, a dyma'r ferch yn y gerdd, ymhen dyddiau wedyn, yn gwneud yr un peth yn union.

'Mae'r gerdd am golli mam yn ingol,' meddai Meic Gwyn. 'Mi leciwn i tasen ni'n sôn ychydig am honno hefyd — y profiadau personol, felly, yntê . . .' Roedd ganddo ormod o frwdfrydedd a hwnnw'n sicli hefyd, fel y golau pinc. 'Eich galar chi'ch hun sydd yma, wrth gwrs?'

'Efallai.'

'Ond mi golloch chi'ch mam yn ifanc iawn. Tynnu ar eich cefndir oeddech chi, siŵr o fod, pan sgrifennoch chi hon. Mi fasai'n ddiddorol iawn cael rhywfaint o'ch hanes chitha' hefyd. Wedi'r cwbwl, rhaid 'nabod y dyn, yn bydd, cyn y gallwn werthfawrogi'i waith o?' Mi oedd o newydd fod yn malu cachu am Mallarmé gynnau. Dangos ei wybodaeth. Neu'n hytrach wybodaeth ei ymchwilydd.

'Pa hanes? Mae'r rhan fwyaf ohonon ni'n gorfod colli'n mamau rywbryd neu'i gilydd.'

Doedd gan Dafydd mo'r help bod ei atebion mor swta. Roedd ganddo'i gyfrwng ac nid sioe-siarad fel hyn mohono. Nid yma, nid fel hyn â'i synhwyrau'n pobi dan y golau di-ildio, y dewisodd fwrw'i alar . . .

Roedd o bron yn bymtheg oed, yn rhy hen i gyfaddef,

hyd yn oed wrtho'i hun, fod arno isio aros yn blentyn. Sgleiniai geiriau pobol yn daclus yn ei ben fel rhesi o gyllyll: *Rhaid i ti edrych ar ôl dy chwaer fach rŵan, Dafydd . . . bod yn gefn i dy dad . . .* Thrafferthodd neb i ddweud wrtho bryd hynny bod dewrder mewn dagrau. Ni allai oddef bod yn yr un ystafell â lleisiau pobol eraill, yr un ystafell â'i dad — a Gwyneth. Ni allai edrych ar Gwyneth. Roedd yr ofn a oedd yn lledu ei llygaid-cyw-deryn yn ei atgoffa o'i arswyd ef ei hun. Bu'n sefyll yno'n hir wrth draed y gwely: gwely'i fam, yn agored fel bedd. Disgwyliodd i'r distawrwydd symud, i'r craciau rhwng y cysgodion ymledu ac esgor ar rywbeth. Ond ni ddaeth dim. Dim ond y sylweddoli na welai o byth mo'i fam. Doedd hi ddim eto'n nos. Sugnai'i gorff y diddymdra — roedd y gwyll yn ei gerdded, yn ei wneud yn un â'r hanner-goleuni a rannai'r ystafell yn gysgodion. Ni allai grynu — roedd yn rhy oer i hynny. Glynai'r oerfel wrtho fel gwe, yn gwrthod cyrraedd ymylon y nerfau pell oedd yn ysu ym mhennau'i fysedd o, ym modiau'i draed. Ddaru'r teimlad hwn mo'i adael wedyn. Y realaeth hwn. Y cymundeb anfoddog hwn â pharlys ei enaid ei hun.

' . . . wedyn rôn i'n meddwl y basen ni'n gorffen hefo'r cerddi serch — y tynerwch, y gobaith. Phriodoch chi ddim chwaith, naddo, Dafydd? Dafydd . . . ydi popeth yn iawn?'

'Siort ora'. Braidd yn boeth ydi hi . . . y goleuada' 'ma.'

'Siŵr iawn. Gymran ni hoe fach yn fanna. Reit, hogia, dyna ddigon o rihyrsal . . . Dafydd, piciwch am banad neu rwbath — mi ddown ni yn ein holau ymhen hanner awr!'

Mi oedd hi'n oer braf yn yr ystafell ymolchi. Tynnodd

Dafydd ei siaced a thorchi'i lewys. Roedd y dŵr yn fendithiol; sylwodd ar hwnnw hefyd yn troi'n binc budr wrth iddo olchi'r colur oddi ar ei wyneb. Llaciodd ei feddwl yn sŵn y tapiau'n rhedeg. Doedd dim gwahaniaeth bellach am y sbrencs dŵr ar hyd ei grys — daeth y gawod law wedyn ag ychwaneg atyn nhw. Safodd ynddi â'i gôt dros ei ysgwydd. Diwrnod haul-a-dagrau go iawn. Gresynodd iddo wastraffu mwy na'i hanner o'n chwysu o flaen machlud-cogio.

Doedd dim golwg o Dafydd Parry ymhen yr hanner awr. Difanars uffernol, meddai rhywun; tipical, meddai un arall — petha' od oedd beirdd, eniwê. Bechod, meddyliodd y ferch yn y jîns a'r clustdlysau bach aur, er iddyn nhw gael hyd i'w meicroffôn hi yn nhoiledau'r dynion yn gorwedd fel cocrotsien gynffonnog, ddu ar ymyl un o'r basnau gwyn.

Fel yr haul ei hun

Syllodd Cadi i oerni'r blodau; nid y hi osododd y rhain. Roedden nhw'n ormod o sioe, a'u diweirdeb liliog yn mygu'r sêt fawr. Pan drodd y gynulleidfa'n ddisgwylgar i nodau cynta'r ymdeithgan roedd hi'n dal i syllu'n syth o'i blaen. Gwyddai y byddai Angharad yn dlws; gwelsai'r ffrog eisoes — braint anghyffredin i ddarpar fam-yng-nghyfraith. Yn hytrach, edrychai'n hir ar Dylan fel petai'i llygaid yn ceisio'i lyncu'n ôl yn y munudau a oedd yn weddill. Trodd yntau'i ben er mwyn cael cip sydyn ar ei ddarpar wraig a theimlodd frath sydyn tu mewn iddi fel petai'i chroth hi'n rhoi tro.

Teimlai ei het yn newydd am ei phen. Roedd hi'n falch rhywsut o'i dieithrwch, o gysgod y cantal llydan yn ysgafn a di-ildio dros ei llygaid. Safai Eifion fel delw wrth ei hymyl; roedd hi'n ymwybodol o liw tywyll ei siwt yn llenwi cornel ei llygad. Doedden nhw ddim yn dewis edrych ar ei gilydd y dyddiau hyn. Roedd yn well ganddi hynny. Ers talwm roedd o'n mynnu bod eu llygaid yn cyfarfod er mwyn iddo gael edliw heb yngan gair.

Bu'n anodd iddo yntau — magu plentyn dyn arall. Mor anodd. Am nad ar y bychan oedd y bai. Ac ar ddyddiau pen-blwydd a 'Dolig gwnâi'r Parchedig Eifion Rhys ymdrech wrol i gymell y tad i'w lygaid. Onid oedd y gweinidog ynddo'n drech nag unrhyw gythraul? Estynnai ambell barsel a helpu i chwythu'r gannwyll ola' tra oedd ei egwyddorion yn glynu'n flêr yn ei berfedd fel darnau o bapur-lliw.

Pan oedd Dylan yn dair oed cawson nhw Nadolig gwyn. Cydiodd y bychan yn ei law a cheisio'i dynnu at y ffenest i wylio'r awyr yn briwsioni. Cododd hithau'i phen oddi wrth ei gwnïo a gwenu oherwydd y plentyn. Sylwodd yntau ar hyn i gyd fel petai'n eu gwylio o'r tu allan. Roedd o cyn oered â hynny. Syllodd ar y caeau'n britho a thosturio wrtho'i hun: gwelodd gyfaredd gwyn oedd yn gelwydd i gyd ac ni allai ryfeddu. Trodd ei wraig yn ôl at y gwaith ar ei glin. Doedd yna ddim byd i dorri ar eu chwithdod ond anadlu'r nodwydd trwy'r brethyn caled. Ac meddai'r plentyn:

'Eira, Dad!'

Peidiodd y pwytho. Roedd hi fel petai plu'r eira'n disgyn i byllau'i llygaid hi.

'Ie,' meddai yntau. 'Eira.'

Gallai fod wedi estyn ei law a'i thynnu'n ysgafn dros wallt y bychan gwelw, ei godi ar ei fraich, efallai, er mwyn iddo weld yr olygfa'n well. Ond gwyddai hithau mai dim ond geiriau oedd ganddo a gostwng ei llygaid. Roedd ei chosb yn gyflawn ers amser maith. Ac eto roedd ei garedigrwydd llugoer yn dal i groeni dros y cyfan, yn peri na châi hi ddim anghofio . . .

* * *

'Dwi'n gwbod, sti, Cadi.' Cofiai'r ddau gnul y geiriau. 'Dwi'n gwbod amdanat ti a Dafydd Cae Aur.'

Rhyw siomedigaeth dan reolaeth oedd o — fel petai

o'n ei cheryddu am wario'r arian o'r blychau cenhadol. Roedd ei bellter mesuredig i fod i roi'r llaw uchaf iddo ond rhywsut doedd dim yn ei chyffwrdd. Ddywedodd hi ddim i'w hamddiffyn ei hun. Ni ddaeth dim byd i'r wyneb ym marddwr ei llygaid.

'Chei di mo 'ngwneud i'n destun sbort i bobol, Cadi.'

Siaradai â hi'n dawel, bron yn dyner. Roedd hi'n syllu arno fel trwy freuddwyd. Dychmygai yntau iddo fedru arogli ei godineb, yn bersawr melys, trist. Ceisiai ffieiddio, a methu: roedd ei genfigen yn fwy cymhleth na hynny, yn gorwedd yn ei berfedd fel gwaeledd araf. Safai hithau'n fud, yn ei wylio'n troi ei chyfrinach yn ei ddwylo gwyn. Roedd hynny'n waeth na theimlo'u meddalwch wedyn dan y tywyllwch tenau pan oedd y cyfan fel defod a hithau'n gwyro'i phen a phenlinio . . .

* * *

Nid Eifion oedd yn eu priodi nhw. Edrychai'n chwithig fel rhan o'r gynulleidfa yng nghapel rhywun arall. Eisteddodd Cadi â'i dwylo ymhleth tra llifodd y gwasanaeth drosti. Ger bron Duw a gronynnau bach o lwch yn nofio yn y gwagle lle cronnai'r haul yn geinciau gwyn. Meddyliodd pa mor greulon oedd hyn, y clymu calonnau o flaen cymanfa o hetiau. Roedd ysgwyddau Dylan yn dynn; dim ond y hi fyddai wedi medru sylwi ar hynny. Yr un oedden nhw ag ysgwyddau'r Joseff bach seithmlwydd a anghofiodd ei linellau, a'r cadach-sychu-llestri streipiog hwnnw wedi disgyn dros ei dalcen: drama-sêt-fawr oedd honno hefyd, a phryd hynny roedd tinsel yr angylion wedi disgyn yn bupur gwyn dros bopeth a'i gyfaredd-cogio yn gwneud pethau'n iawn. Cywilyddiodd wrth i'w pherfedd gloi pan edrychodd Dylan ac Angharad i lygaid ei gilydd. Rowliodd ei blentyndod fel ffilm drwy'i phen, a thu ôl i'r cyfan roedd cysgodion ei bysedd hi ei hun yn taro yn erbyn y golau ar hap. Pethau rhydd oedd calonnau i fod . . .

* * *

'Chdi a fi, Cadi. Awn ni o'ma — gadael y cwbwl . . .'

Roedd o mor ifanc. Ei ddyfodol i gyd o'i flaen.

'Dos adra, Dafydd.'

Safai yno'n ddisymud, yn gwrthod deall. Roedd arni ofn rŵan iddo gyffwrdd ynddi, ofn disgyn rhwng ei eiriau byrbwyll. Camodd yn ôl oddi wrtho a gwelodd ei lygaid yn cleisio.

'Pam wyt ti'n gwneud hyn i mi, Cadi?'

Doedd wiw iddo wybod bod hyn yn ei harteithio. Fyddai dim troi'n ôl wedyn. Roedd hi'n hŷn, yn doedd hi? Yn gwybod beth oedd orau? Cadwodd ei llais yn wastad wrth osod y pellter rhyngddynt:

'Mi ei di'n ôl i'r coleg mis nesa'. Anghofio amdana i . . .'

Roedden nhw mor hurt, y geiriau olaf 'na, yn dibrisio popeth. Bu bron iddi ildio. Cwffiodd yn erbyn y pendro, y cyfog a godai i'w mygu. Doedd wiw iddo wybod am hynny chwaith. Cydiodd yn y gadair o'i blaen a'i migyrnau'n gwynnu — roedd ei beichiogrwydd wedi dechrau edliw iddi ers dyddiau. Roedd hi'n benderfynol na ddifethai hi mo'i fywyd o. Nid arno fo roedd y bai ei bod hi'n unig a bregus a'i phriodas yn oer. Câi Dafydd Cae Aur ei ddyfodol yn ôl ganddi. Roedd y syniad ei bod hi'n aberthu rhywbeth yn ei phuro hi, yn cadw'r boen y tu allan iddi am ychydig eto. Caeodd ei chalon am y plentyn yn ei chroth a dibynnu arno; roedd y berthynas newydd hon eisoes heb amodau. Nid o'r byd y deuai'r cariad hwn. Am unwaith diolchodd am gael bod yn ddigon hunanol i gadw un anrheg, o leiaf, i'w roi iddi hi ei hun . . .

* * *

'Mae o'n gredyd i ti, Cadi.'

Gan mor ddiarth y tynerwch yn y geiriau ni allai hi yn ei byw dynnu'r cysur ohono. Ond roedd hi'n ymdrech deg i swnio'n garedig ac fe gyffyrddodd hynny â rhywbeth ynddi. Crygodd ei llais a'i bradychu:

'Mi wnest tithau dy ran.' Roedd ei chydnabyddiaeth hithau o hynny'n ymdrech hefyd. Swniai mor gwrtais. Sgwrs ofalus oedd hon a'r ddau ohonyn nhw'n dilyn ei llwybr hi fel plant ar goll mewn coedwig.

'Doedd 'na ddim bai ar Dylan am ddim byd. Faint haws fyddwn i wedi bod o ddial arno fo . . .'

'Arna i wnest ti hynny.'

Dewisodd Eifion ei eiriau'n flêr ac ni allai hithau faddau. Mor hawdd oedd rhoi atebion swta a'i chwerwedd wedi'i chynnal cyhyd. Ond roedd rhywbeth tebyg i flinder yn llacio cyhyrau'i wyneb o ac yn cerdded wedyn ar draws ei lygaid o. Am ennyd bu bron yn edifar ganddi. Siaradodd yntau gyda mwy o bwyll:

'Doeddwn i ddim wedi bwriadu edliw . . .' Aeth y frawddeg honno'n hesb. 'Does dim angen hyn rŵan. Sdim isio difetha heddiw iddyn nhw . . .'

'Nag oes.'

Roedd chwaon o chwerthin a chonffeti yn cyrraedd

ymylon eu sgwrs. Edrychodd y dyn-tynnu-lluniau'n bryderus i'w cyfeiriad. Cynigiai iddi esgus i ddianc wrth iddo chwifio'i law arni a phwyntio at y camera. Ond safai Cadi'n stond. Doedd arni ddim eisiau mynd.

'Mi fuost ti'n dad da iddo fo, chwarae teg i ti.' Rŵan roedd ei llais yn bygwth hollti. 'Doedd dim rhaid i ti.' O'r diwedd, edrychodd arno. 'Mi oedd 'na ddewis, ti'n gwbod.'

'Nag oedd, Cadi.' Meddal, meddal. Ei eiriau'n feddal. 'Dim go iawn.'

Agorodd gwres yr haul uwch eu pennau fel dwrn yn llacio.

'Er ei fwyn o rôn i'n codi bob bora,' meddai hithau, heb falais.

Fe'i gwyliodd wrth iddi gofio'i defod foreol. Taenu'i chwrlid yn drefnus dros y chwithdod. Sawl gwaith y bu'n gorwedd yn effro, am y pared â hi, yn gadael i sŵn ei phrysurdeb ei arteithio? Fynta'n ei dychmygu'n chwalu ôl un mewn gwely i ddau, yn llyfnu lle bu rhwydwaith o rychau swil yn gwmni i obennydd glân.

'Wyddost ti ddim sawl tro y bûm i'n dyheu am iddo fod yn fab i mi,' meddai.

Gallai Cadi arogli blodau. Sylwodd yntau arni'n agor ei llygaid yn fawr fel petai'n ceisio'u llenwi â llun a oedd yn rhy dlws; cofiodd mor anghyffredin, mor gyfnewidiol oedd eu glesni.

'Ond mae o'n fab i ti,' meddai hi, yn rhy ysgafn. 'Chdi ddaru ei fagu o wedi'r cwbwl . . .'

Roedd yr oriogrwydd yn ei llygaid hi'n chwarae drwy'i llais hi hefyd, ac fe wyddai yntau mai ceisio diolch iddo yr oedd hi. Ond roedd ei phersawr hi'n agos, yn gynnes a chyfarwydd. Anwesai ers talwm â blaenau'i feddwl ac edrych drwyddo er mwyn ei gweld hi'n iawn.

'Maen nhw isio i ni fynd,' meddai wrthi. 'Ar gyfer tynnu'r lluniau.'

'Ydyn.' Ar gyfer yr albwm a fyddai'n wyn fel cloriau'i chof hi. Roedd llaw yr haul ar ei chefn, mor gynnes ag addewid.

'Awn ni draw atyn nhw, ta?' Cynigiodd ei fraich iddi.

Roedd ysgafnder ei bysedd trwy frethyn ei gôt yn swil fel yr haul ei hun.

Rhwng Noson Wen a Phlygain

Mi sefi di dros nos ar y cyrion. Tŷ tafarn yn cynnig gwely a brecwast. I'r dim. Peint a thân agored a neb yn dy nabod di. Byddi'n llawn amheuon. Dy ben di'n berwi hefo nhw. Ond fydd dim troi'n ôl. Dim rŵan. A hithau wedi dweud wrthyt. O'r diwedd.

Bellach mi ddaw hi'n fore wedyn, y trannoeth y buost ti'n ei droi yn dy feddwl pan fu neithiwr yn fwrn arnat. Y dydd yn rowlio'n wyn o flaen dy lygaid ac ogla dy frecwast yn ffrio yn rhywle yn gymysg â'r gwynt cwrw sy'n anadlu'n denau drwy'r lle.

'Gysgoch chi'n iawn?'

'Champion, diolch.' I ba ddiben y dywedi'r gwir? Gwely oer, glân a dy feddwl dithau'n llithro'n gyndyn rhwng y cynfasau. Neithiwr bu lleuad gron fel gwydr sbectol, a rhyw sgintan o niwl yn cannu'r tywyllwch a phylu'r sêr nes eu bod nhw'n gymylog fel ll'gada hen bobol. Noson wen. Gwyddet bryd hynny y byddai dy yfory'n anorfod ac y byddai'n dy lyncu, gorff ac enaid. Yfory fe fyddet ti'n ymwelydd annisgwyl. Fe ddylet fod wedi ffonio. Anfon nodyn. Ond buost yn ormod o gachwr. Ofn yr ymateb. Rhy hwyr rŵan. Dychmygi ddrws yn cau yn dy wyneb . . .

Gweli fod dieithrwch rhyfedd o gwmpas tŷ tafarn ben

bore. Dim ond dy gar di yn y maes parcio y tu allan. Byddi'n cael dy ben-blwydd heddiw'n ddeugain oed. Teimli wên fach gam yn crebachu dy du mewn. Pe bai Angharad a thithau'n dal hefo'ch gilydd, byddai yna hen ddathlu wedi bod. Trefnu partïon oedd un o'i chryfderau hi . . . Bydd y wên yn llyncu'i phen, a gadael ei hôl yn grwn yn dy berfedd. Ni fu'r ysgariad yn annisgwyl: fe'th gyffyrddodd fel profedigaeth bell, chwarae ar dy feddwl heb dynnu dagrau. Buoch yn byw ar wahân ers misoedd cyn cael eich llythyrau trwy'r post. Absoliwt. Terfynol a thwt. Dyddiau fel hyn fydd yn bwrw holl sicrwydd pethau — dyddiau â phenawdau wrth eu pennau, dyddiau a fu unwaith yn ddyddiadau mewn cylchoedd coch.

Meddyli am dy fam ar y bore hwn ddeugain mlynedd yn ôl. Babi'r plygain oeddat ti. Dyna'i geiriau wrthyt. Droeon. Dychmygi dithau eto'r gorfoledd ar ei hwyneb, ei phlentyn yn cyrraedd hefo golau'r dydd a'r wawr yn lanach o'r herwydd, yn codi'i chanopi ar bincdod popeth. Buost yn boenus o agos at dy fam erioed. Dyna pam y bydd heddiw'n arbennig. Byddi'n gwneud hyn heddiw drosti hithau. Er cof. Er popeth. Mi dorri di'n fwriadol ar lif dy feddyliau dy hun trwy danio injan y car.

Bydd y cyfeiriad gennyt. Ar bapur ac ar dy gof. Enw tlws yn sgleinio yn dy ben. Ond y cyfarwyddiadau. Bydd y rheiny'n fwy o ddryswch, yn rhwydwaith gwrychog o lonydd cefn gwlad a giatiau llwyd heb enwau arnyn nhw. Byddi'n oedi am ychydig pan ddoi di i'r pentref. Bydd digon o amser gen ti wedyn. Cwta ddeng munud o'r siwrnai fydd yn weddill. Mi fyddi di'n gadael y car a cherdded o gwmpas dipyn. Mae dy fam wedi sôn cymaint dros y blynyddoedd am y lle hwn. Y capel bach llwyd ar y llethr, y rhes tai tal a'u hurddas tywyll a'u hwynebau'n sbio draw tua'r môr. Mi fydd hi fel cerdded i mewn rhwng tudalennau stori a chael gwefr o weld nad celwydd mohoni wedi'r cwbl. O ddringo'r boncen serth â'i hysgwydd yn gwyro i gyfeiriad arogleuon hallt y traeth cei hyd i'r môr drosot ti dy hun. Bydd hwnnw'n siomedig o bell — ni weli fawr ddim heblaw gwastadeddau'r tywod ac ambell wylan wedi'i phoeri'n flêr rhwng llygaid y pyllau llwyd. Byddi'n anadlu'r llonyddwch. Bydd yr unigedd diderfyn hwn yn agor o dy flaen, a'r ehangder yn wahoddiad i ti ryddhau dy synhwyrau. Yn ôl cyfriniaeth lwyd yr olygfa hon, buost yma o'r blaen. Mi deimli di oerni'r bore'n gafael yn dy war tra bydd y tirwedd y tu ôl i ti'n gwingo dan y barrug gwlyb. Gwnaiff hyn les i ti. Hyn i gyd. Yr oedi hwn. Sefyll yma a syllu. Byddi'n gwneud y peth iawn. Roedd arnat ti eisiau bod yn perthyn.

Theimli di mo'r gwlybaniaeth yn dy esgidiau nes i ti fynd yn dy ôl i'r car. Fel petai'r bore'i hun yn mynnu glynu wrth dy sodlau. Teimli'n od o fychan, a'r diwrnod yn fawr o dy gwmpas; bydd dy feddwl yn llawn i'r ymylon ag ehangder y traeth. Dwy filltir, dair, y tu draw i'r pentref byddi'n troi i'r chwith oddi ar y lôn bost. Bydd y lôn hon mor gul mewn mannau fydd dim lle i ddau gar basio'i gilydd. Mi fyddi di'n diolch droeon na ddaeth cerbyd arall i dy gyfarfod. Ac eto, bydd unigedd y mannau hyn yn llethol. Y lonydd coed troellog, tywyll. Mi fydd hi fel petai holl gyfrinachau'r cread wedi'u plethu i'r gwrychoedd.

Mi geisi di ddechrau cofio. Straeon. Chwedlau. Cyfarwyddiadau. Hen felin ddŵr. Tro drwg yn y lôn. Heibio dau fwthyn, giât mochyn a chors. Cyrhaeddi yn rhy gyflym, rhywsut. Byddi yno cyn cael amser i dy baratoi dy hun â thrwyn dy gar yn oedi'n betrusgar yn y porth, yn ffroeni rhwng y ddau gilbost fel rhywbeth byw. Fydd yna ddim arwydd. Dim enw yn unlle. Dim ond y tŷ gwyngalchog, glân a'i ffenestri'n ymddangos yn dywyllach o'r herwydd fel gwydrau sbectol haul yn cuddio'r enaid y tu mewn. Hwn felly fydd Cae Aur.

Byddi'n sefyll yn hir ar stepan y drws. Mor hir fel y cei fraw pan agorir i ti.

'Ie?' Dyn tal, main, llygatddu a'i wallt bron yn wyn. Bydd ei wyneb yn boenus o gyfarwydd er y gŵyr yntau mai dyma'r tro cyntaf i chi gyfarfod erioed.

'Dwi ddim yn siŵr ydw i wedi dod i'r lle iawn . . .' Er y gwyddost yn burion. Chwarae am amser fyddi di. Gweddïo am hyder. Gobeithio am ei gydweithrediad. Bydd yr eiliadau'n pentyrru ar bennau'i gilydd. Mi syllith yr wyneb main arnat ti'n ddifynegiant, yn disgwyl eglurhad.

'Chwilio am Dafydd Parry ydw i.'

Ni symudith y llygaid duon. Fradychan nhw'r un dim.

'Pwy ydach chi, felly?'

'Dylan Rhys ydi'r enw.' Estynni dy law. 'Hogyn Cadi.' A thynnu dy law yn ôl yr un mor sydyn. Mi weli di'i lygaid o'n pefrio wedyn fel petai o'n chwalu trwy hen dudalennau yn ei ben.

'Hogyn Cadi Rhys 'dach chi.' Nid cwestiwn fydd o, ond eco syn, a'r geiriau'n od o feddal wrth lapio am gynffonnau'i gilydd.

'Ia.'

'Sut mae hi erbyn hyn?'

Bydd y boen yn ymestyn ar draws dy lygaid ac yn aros

yno am rai eiliadau, yn llinell syth fel ôl brwsh. Yna meddi dithau wrtho:

'Mi fuo hi farw . . . bedwar mis yn ôl . . .' Byddi di'n clirio dy wddw a'r chwithdod yn dechrau dy fygu.

'Mae'n ddrwg iawn gen i glywed hynny.' Sgwrsiwr tawel fu Dafydd Parry erioed. Bydd ei eiriau'n swnio'n dynerach, efallai, nag ydyn nhw mewn gwirionedd. Mi golli di dy benderfyniad i gyd ar hynny. Bydd dy wegil yn oer.

'Mae'n ddrwg gen innau hefyd — am eich poeni chi — dŵad yma fel hyn . . . ddylwn i ddim bod wedi . . .'

'Dowch i'r tŷ.'

Mi nofith y gwahoddiad annisgwyl rhyngoch chi. Cei weld y bydd o'n troi'n ôl i mewn i'r tŷ gan ddisgwyl i ti ddilyn ei eiriau. Bydd yr ystafelloedd yn fychan, yn llawer llai nag y disgwyliaset. Mi weli di bopeth yn lân a chymen; bydd yntau'n dy arwain i ystafell fyw ag ynddi ormod o ddodrefn. Bydd hi'n amlwg ei bod hi'n ystafell fwyta hefyd; o dan y ffenest bydd bwrdd a lliain drosto ac arno bowlen siwgwr a thebot yn oeri. Bydd tân yn rhyw ddechrau gafael, a llyngyren fain o fflam yn cosi'r cnapiau o lo newydd. O'i flaen gweli wraig denau yn eistedd. Tybi dithau iddi fod ychydig dros ei hanner cant. Ond mae gennyt eisoes ryw amcan o'i hoed. Bydd golwg rynllyd arni â'r ystafell heb gynhesu. Mi grwydrith ei llygaid yn aflonydd drosot ti a'r olwg ynddynt yn biwis, bwdlyd fel yr olwg a welir yn llygaid plentyn blinedig. Bydd ei gwallt brith yn llyfn, wedi'i dorri'n llinell syth, glasurol ac yn cyffwrdd ei hysgwyddau o drwch blewyn. Bu'n eneth drawiadol ar un adeg; gweli bod ei harddwch yn ddiymdrech, yn rhywbeth oesol na fyddai'r un haenen o golur wedi gallu ychwanegu ato. Sylweddoli dy fod yn syllu'n rhy hir arni: mi fyddi di'n edmygu'r perffeithrwydd yn llinellau esgyrn ei hwyneb fel petaet yn gwerthfawrogi darn o gelfyddyd gain. Mae dy fam wedi sôn amdani hithau hefyd. Wedi'i disgrifio mor fanwl wrthyt fel nad yw ei phrydferthwch gwelw'n peri unrhyw syndod i ti.

'Gwyneth? Ma' 'na ŵr ifanc wedi galw i'n gweld ni.' Mi fydd ei brawd yn cyffwrdd yn ysgafn yn ei hysgwydd, ei eiriau'n ei chynnwys yn yr hyn fydd yn digwydd nesa'. Ni. Ein gweld ni. Bydd hynny'n clymu'u llygaid nhw am ennyd, yn dy gadw di'n ddieithryn ar gyrion pethau. Dydi hyn ddim yn mynd i gynhyrfu dim arni hi. Fe'i gweli'n chwarae â chudyn o'i gwallt ac yn sbio'n ôl i lygad y tân lle bydd cyrlen o fwg glas yn gafael a gollwng fel cwlwm tagu.

'Steddwch.' Cei gynnig cadair freichiau fechan ganddo. Bydd y wraig yn syllu arnoch yn dawedog ac yna'n gwenu'n sydyn a swil, yn cynnig ei llygaid i ti fel tae hi'n rhannu pethau-da. Mi eisteddi dithau'n chwithig yn dy gadair isel, yn sylweddoli dy fod ti newydd weld dy wyneb dy hun wrth edrych ar Dafydd Parry. Mae'r tebygrwydd rhyngoch yn syfrdanol, yn rhoi hyder od i ti . . .

'Dwi'n gwbod y bydd hyn yn dipyn o sioc i chi . . .'

Gweli aeliau Dafydd Parry'n codi'r mymryn lleiaf ond bydd ei wyneb yn welw, ddifynegiant o hyd.

' . . . a deud y gwir, dwi ddim yn siŵr iawn lle i ddechra . . .'

'Sdim isio i ti, 'ngwas i . . .'

A dy dro di wedyn fydd edrych yn syn. Mi fydd y gŵr tawel 'ma a'i frawddegau sydyn wedi troi'r 'chi' yn 'ti' yn esmwyth, ddi-droi'n ôl cyn estyn cadair uchel iddo'i hun oddi wrth y bwrdd a'i thynnu'n nes at y tân. Mae o'n arfer eistedd fel hyn, ar gadair galed, yn gefnsyth, yn uwch na phawb. Byddi'n sylwi ar ei lygaid o'n cribo'n sydyn dros yr aelwyd fechan cyn syllu'n syth i dy wyneb. Mi fydd hi fel petai o newydd dynnu rhyw hyder gwydn o bedair wal ei gegin ei hun. A'r adeg honno y sylweddoli di na fydd dim angen i ti ddweud wrtho. Mi fydd o'n gwybod. Dim ond wrth edrych arnat ti. Bydd dy wyneb yn ddigon, dy bryd a dy wedd a dy benderfyniad tawel. Ond dy lygaid. Mae dy lygaid yn wahanol. Glas ydyn nhw. Ond fedar o ddim peidio'u hadnabod nhw. Adnabod y glas golau hwnnw sy'n edrych fel petai'i liw o wedi gwanio yn y golch. Mi gofith o'r glesni. Fel y cofith o'r niwl mynydd sydyn a hithau'n cydio'n dynn ynddo; disgwyl hefo'i gilydd i'r tamprwydd gwlanog friwsioni uwch eu pennau a nhwtha'n gweld y wlad rhwng cudynnau'r cwmwl; a chofleidio. Ac yna mi gofith noson laith ddeugain Awst yn ôl a'r cloddiau'n diferu . . .

'Llygaid dy fam sy gen ti.' Mi fydd yn hanner dy gyfarch, yn hanner ei gyfarch ei hun. Yn dweud yr hyn sy'n cyfrif hefo'i wyneb.

'Hogyn Cadi ydi o, ia?'

Pan siaradith hi mi edrychwch chi'ch dau i gyfeiriad ei geiriau sydyn a'i gwylio'n suddo'n ôl i gragen ei swildod fel plentyn wedi dychryn oherwydd ei hyfdra'i hun yng nghwmni oedolion. Ond mi fydd tynerwch Dafydd yn dy gyffwrdd wrth iddo estyn ymlaen a chydio yn ei llaw er mwyn hudo'i llygaid llonydd yn ôl at eich sgwrs. Mi weli di olau'n cynnau dan esgyrn ei bochau hi wrth i hyn adfer ei hurddas chwithig.

'Ia, Gwyneth. Hogyn Cadi.' Mi fydd o'n dal i afael yn ei llaw.

'Dwi'n cofio Cadi.'

'Wyt . . .'

'Chdi a Cadi.' Mi glywi di ras dy galon dy hun yn erbyn tipiadau'r cloc tra bydd y gorffennol yn llonydd fel hen lwch, yn gaeth rhwng muriau'r gegin. Fo a Cadi. Hefo'i gilydd. Ar wahân. Fynta'n hen lanc a'i dorcalon yn amdo am ei enaid. A Gwyneth fydd yn siarad hefo'r gwagle o hyd, yn dal i sgubo ddoe i'r darlun a hwnnw'n llaith a chrin a brau bob yn ail, yn ddarnau byrhoedlog, pytiog fel ei pharabl hithau.

'Cofio Cadi . . . cofio'r storm . . .'

Fyddi di ddim yn deall. Chei di ddim gweld yr euogrwydd pell yn ei lygaid o gan y bydd yn codi at y ffenest ac esgus sbio allan; troi'i gefn am ysbaid a'i law chwith yn mwytho'i law dde, y llaw a fu'n cydio yn llaw Gwyneth gynnau fach. Sut medri di ddeall heb wybod am noson y storm pan aeth o ati a'i charu? A dy genhedlu dithau'n llinell dwt o dan y ffarwel ola'; roeddet ti'n cronni rhwng dau anadl ac yntau'n amau dim.

Cei weld na wnaiff o ddim holi rhyw lawer arnat ti. Un felly fuo fo erioed, plygu'i ben a derbyn ei ran. Mae gwyleidd-dra'n rhedeg yn y teulu. A'r gwyleidd-dra hwnnw sy'n tymheru dy hyder dithau. Gan dy fam y cefaist ti'r elfen fyrbwyll 'na yn dy gymeriad. Y natur holi a chwilio a sgytio'r dydd i weld beth ddisgynnith allan. Yr angerdd. Da o beth ydi o. Mae pwyll dy dad yna yn rhywle a da o beth ydi hynny hefyd. Achos bod arnat ti angen y ddau.

Wn i ddim beth ddigwyddith i ti wedyn. Mae hynny'n

fwy na fedar neb ei ddweud. Ond gwn y cei di hyd iddo. Y cewch chi hyd i'ch gilydd. Mi ei dithau drwy dy felin dy hun hefyd, cofia, cyn y bydd hynny'n digwydd. Cyn i ti gyrraedd Cae Aur a dy obeithion o dan dy gesail yn barsel bach tynn. A phan ddywedith o wrthyt ti — am stormydd a niwl a dyletswydd ac euogrwydd, am garu a cholli a chyfri'r oriau rhwng noson wen a phlygain — mi fyddi'n deall, yn uniaethu â'r hiraeth yn y brawddegau anorffenedig hynny fydd yn diferu dros ymyl ei feddyliau . . .

Mi gofi dithau pan oeddet ti'n ifanc, yn cysgu'r nos pan oedd y dydd yn dy flino. A'r bore hwnnw pan ddeffroist ti'n hŷn na dy oed a holi pwy oeddet ti. O'r eiliad y gofynnaist ti, gwyddet mai drych fyddai pob yfory i ti chwilio ynddo am dy wyneb dy hun a'i adnabod am y tro cyntaf.

Mi ei di i chwilio am dy dad cyn i'r gwlith godi. Pa ots? Disgwyliaist yn hir. Paid â bod ofn; mae llygaid dy fam gen ti. Cei gynnig ddoe yn ôl iddo â'r barrug dan dy sgidia' dithau.